CW00555525

Artscapes

Luca Galofaro

Editorial Gustavo Gili, SL

Rosselló 87-89, 08029 Barcelona, España. Tel. 93 322 81 61
Valle de Bravo 21, 53050 Naucalpan, México. Tel. 55 60 60 11
Praceta Notícias da Amadora 4-B, 2700-606 Amadora, Portugal. Tel. 21 491 09 36

Land&ScapeSeries:

Artscapes

El arte como aproximación al paisaje contemporáneo

Art as an approach to contemporary landscape

Luca Galofaro

GG

Directora de la colección/Series director
Daniela Colafranceschi
Traducción al castellano
Maurici Pla, Moisés Puente
English translation
Steve Piccolo, Paul Hammond.
Diseño gráfico/Graphic design
PFP, Quim Pintó & Montse Fabregat

1ª edición, 1ª tirada, 2003 1ª edition, 1st print run, 2003
2ª tirada, 2004 2nd print run, 2004

2ª edición ampliada, 2007 2nd expanded edition, 2007

En cubierta: Casagrande & Rintala, *Land(e)scape*,
Finlandia, 1999. © Jussi Tiainen
Cover: Casagrande & Rintala, *Land(e)scape*,
Finland, 1999. © Jussi Tiainen

Printed in Spain
ISBN: 978-84-252-1843-9
Depósito legal: B. 8.311-2007
Impresión/Printing: Aleu, SA (Barcelona)

A mis padres
To my parents

Tiernamente te usaré, hierba rizada,
quizá transpires de los pechos de los jóvenes,
quizá si los hubieras conocido los hubieras amado,
quizá provengas de viejas gentes, o de criaturas arrancadas
pronto del regazo de sus madres
y aquí eres el regazo de las madres.

WALT WHITMAN, “Song of Myself”, in *Leaves of Grass*, Bantam Books, Nueva York, 1990; (versión castellana: *Canto de mí mismo*, EDAF, Madrid, 1982).

Tenderly will I use you curling grass,
It may be you transpire from the breasts of young men,
It may be I had known them I would have loved them,
It may be you are from old people, or from offspring taken
soon out of their mothers' laps
And here you are the mothers' laps.

Walt Whitman, “Song of Myself”, in *Leaves of Grass*, Bantam Books, New York, 1990.

Índice

11 **Introducción**
Comprender y construir el espacio físico, por Gianni Pettena

23 **Guía del usuario**

27 **El espacio a descubrir**

59 **Redefinir el espacio del territorio**

97 **Cuando el arte se convierte en paisaje**

117 **Arte + arquitectura + contexto**

149 **Paisajes en transformación**

161 **Programar la superficie de la tierra en el paisaje contemporáneo**

191 **Cuando el arte define un sistema social**

213 **Créditos fotográficos**

215 **Agradecimientos**

Contents

11 **Introduction**
Understanding and constructing physical space, by Gianni Pettena

23 **User's guide**

27 **A space to be discovered**

59 **Redefining the space of the territory**

97 **When art becomes landscape**

117 **Art + architecture + context**

149 **Transforming landscape**

161 **Programming the land surface in the contemporary landscape**

191 **When art defines a social system**

213 **Photo credits**

215 **Acknowledgments**

GIANNI PETTENA,
Archipensieri, 2000.

GIANNI PETTENA,
Archipensieri, 2000.

Gianni Pettena

Comprender y construir el espacio físico
Understanding and constructing physical space

De una imagen que conservamos de un uso del territorio que siempre se convierte en simulacro, en símbolo de un comportamiento, y de una cultura que lo soporta, proviene la idea de recorrer hacia atrás el camino hecho y de volver a encontrar el punto, el lugar de la desviación, fundamentando así el discurso "distinto" de un uso del espacio físico atento a las simbologías implicadas en él y consciente de las mismas. Las fenomenologías del arte que han animado la segunda mitad del siglo xx reflejan e intensifican progresivamente un interés y una atención hacia aquellos elementos y estructuras lingüísticas y analíticas que se ocupan de la ciudad y de los espacios naturales, entendidos ambos como datos básicos.
Las obras de los grandes ambientalistas y de los *landscape designers* del pasado siguen sien-

An image we conserve of a use of the territory that always becomes a simulacrum, a symbol of behavior and of a culture behind it, leads to the thought of retracing the path produced and rediscovering the point, the place of straying, therefore re-establishing the "diverse" discourse of a use of physical space that is attentive to and aware of the symbolism implied. In the phenomenologies of art proposed in the second half of the 20th century there is a gradual intensification of interest in elements and linguistic and analytical constructs regarding the city and natural spaces, both interpreted as fundamental givens.
The work of the great environment and landscape designers of the past is still timely, not only for the transcription of thought in the form of an urban park or a natural park,

do actuales, no sólo por la transcripción de su pensamiento mediante la dicotomía parque urbano/parque natural, sino también, porque han sido las fuentes de inspiración de muchas ideas claramente contemporáneas y porque en dichas obras podemos encontrar ya, por ejemplo, los fundamentos de la escultura ambiental contemporánea. Una escultura madurada durante la década de los años sesenta en Estados Unidos, donde la relación entre la operatividad del pasado en el campo ambiental y su transcripción en clave contemporánea, se pone de manifiesto en el trabajo de unos artistas receptivos a las poéticas precedentes en el transcurso del siglo, y generadoras de estímulos y muestras de poética proyectual de gran interés.
A diferencia de Europa donde, en la práctica artística, el momento teórico y el operativo quedaban todavía demasiado separados, en Estados Unidos se actuaba, se buscaba la acción, se trabajaba en el plano conceptual, incluso antes de justificar las relaciones con la herencia del pasado. Durante aquellos años, es especialmente el artista visual quien demuestra una insólita sensibilidad hacia la lectura de las condiciones urbanas y de la "ciudad" como lugar, algo que se siente cada vez más lejano y extraño. Son artistas urbanos que huyen de la ciudad e, incluso, de toda realidad construida y diseñada, para dirigirse a lugares sin construir, con el fin de iniciar, infundir y difundir una nueva relación con el ambiente físico en clave más contemporánea. Lo no construido permite crear, mediante unos gestos poéticos básicos, una estrategia proyectual y lingüística en sintonía y en relación con el proceso de disensión profunda que surgió en las jóvenes

but also as a source of inspiration for clearly contemporary ideas, because it is here that we can rediscover, for example, the foundations of contemporary environmental sculpture, a sculpture which, in the forms that have reached us until today, was already developing in the 1960s in the United States, where the relationship that exists between activity in the past in the environmental field and its transcription in contemporary terms can be seen in the work of artists who have evidently understood the poetics of the figures that preceded them, leading to very interesting kinds of stimulation and declarations of design poetics.
As opposed to what happens in Europe, where the theoretical and practical phases of making art are still all too separate, in the USA to a certain extent one acts, one pursues action, one operates before having defined the motivations, on a conceptual level, for the connections with the legacy of the past. In those years visual artists, in particular, displayed a rare sensibility for the interpretation of the urban condition, for the "city" place that is perceived as increasingly distant and extraneous. These are artists of the city who flee from the city, and also from the all-constructed, the all-designed, to seek the places of the non-constructed, to begin, to instill, to diffuse in a more contemporary key a new relationship with the physical environment. The non-constructed permits the creation, with fundamental poetic gestures, of a strategy of project and language in tune and in connection with the process of profound dissent triggered in the young generations of the day: a veritable revolution of thought and philosophies that led to a radical critique of

generaciones de entonces: una auténtica revolución filosófica y de pensamiento que condujo a una crítica radical de la cultura del pasado, a una contracultura, a una "rebelión" que, inevitablemente, afectaría también a las temáticas ambientales.
Los espacios urbanos, al igual que los desiertos o las zonas de borde, ofrecen ocasiones para volverse a apropiar de unos espacios físicos y conceptuales que habían quedado vacantes, abandonados como objetos de investigación. Por otra parte, también los grandes interiores se convierten a menudo en lugares de encuentro y en rememoraciones de las investigaciones sobre la infinitud de los espacios y de los conceptos.
La historia del arte reciente presenta numerosos ejemplos de artistas que se han ocupado de las problemáticas concernientes a la investigación de los lenguajes de relación con el espacio físico. Sin embargo, hasta principios de los años sesenta no surge una actitud interesada cada vez más en la investigación visual del ambiente y el espacio, así como el intento de reconstrucción, por parte del artista, de un auténtico lenguaje analítico capaz de relacionarse con el ambiente físico. Por aquellos años, el *land art* británico y estadounidense registra los momentos más significativos de la relación con el ambiente incontaminado de los desiertos, de la mano de unos artistas que abandonan el ambiente urbano en busca de su antítesis. Los británicos Richard Long y Hamish Fulton, los estadounidenses Michael Heizer, Dennis Oppenheim, Walter de Maria y Ed Ruscha, y el holandés Jan Dibbets, entran en relación con el ambiente natural del desierto, o bien con el ambiente urbano entendido

the culture of the past, a counterculture, a "rebellion" that inevitably also touched on environmental themes.
Urban spaces, like the desert or the marginal zone, are an opportunity for re-appropriating the physical and conceptual spaces left vacant, abandoned as a field of investigation, just as in many cases large interiors also become places for citing and recording investigations on spatial and conceptual matters left unfinished.
Recent art history is full of examples of artists who have worked on issues related to the study of languages of relation with physical space, but the origin of an attitude of growing interest in visual research regarding the environment and space can be dated to the beginning of the 1960s, with the attempt on the part of artists to reconstruct their own analytical language of relation with the physical environment. In those years English and North-American Land Art produced the most significant moments of relation with the uncontaminated environment of a desert, effected by artists who leave the urban setting in pursuit of its antithesis: the English artists Richard Long and Hamish Fulton, the Americans Heizer and Oppenheim, De Maria and Ed Ruscha, and the Dutch artist Ian Dibbets established a rapport with the natural environment of the desert, or with the urban environment seen as a "datum", i.e. still as a desert, in the most interesting, significant way. Smithson, Serra and Christo also propose new languages given physical form in poetic, titanic or minimal gestures: an architecture that claims, in its articulation, the right to return to an evidence of eternal events, of funda-

como un "dato", es decir, también como un desierto, en su sentido más interesante y significativo. También Robert Smithson, Richard Serra y Christo & Jeanne-Claude proponen unos nuevos lenguajes, materializados mediante gestos poéticos, sean titánicos o minimales. Se trata de una arquitectura que reivindica a través de su articulación el derecho a hacer emerger de nuevo los acontecimientos eternos, las simbologías fundamentales, siempre presentes en las marcas del hombre, y que, en su traducción física, definen unos territorios mentales. Smithson apela a las grandes marcas del desierto de Nazca, en las Indian Mounds, cuando realiza el acto eterno de definición contextual de su *Spiral Jetty*. Por el contrario, Long y Dibbets se fijan más en el sistema, en la redefinición de los instrumentos de comprensión de un contexto espacial determinado. La perspectiva y sus correcciones, las deformaciones y la anamorfosis recogen herencias seculares de instrumentación y definición de la percepción espacial.
En las articulaciones posteriores, las investigaciones relativas al análisis del espacio y del ambiente físico adquieren progresivamente unas connotaciones tan complejas que revelan y dan pie a la necesidad de relacionarse más estrechamente con la estructura urbana (aunque a veces se trate de estructuras de borde o degradadas), con las realizaciones del hombre, sean articuladas o reducidas a meros arquetipos espaciales. Las seducciones implícitas en este tipo de operaciones se volvían cada vez más complicadas y sutiles, puesto que quedaban claramente "sumergidas" respecto a las auténticas provocaciones, a los chabacanos desafíos vinculados a la "fuga" de la prisión urbana. Es en este período donde

mental symbolism always present in the sign of man, defining mental territories by giving them physical form. Smithson evokes the great signs in the Nazca desert, the Indian Mounds, when he performs the eternal act of contextual definition of the Spiral Jetty. Long and Dibbets focus, instead, on the system, the redefinition of the tools of comprehension of a spatial context. Perspective, its corrections, deformations, anamorphoses, working with an age-old heritage of tools and definitions of spatial perception.
Research on the analysis of space and the physical environment, in its subsequent expressions, gradually assumes connotations whose complexity also leads to and reveals the need for an increasingly close relation with the urban structure (though at times in decayed, fringe structures), with the things made by man, articulated or reduced to mere spatial archetypes. The seductions implied by such operations become more complicated and subtle, therefore, decidedly "submerged" with respect to true provocations, to the glaring challenge connected with the "escape" from the urban prison. This period is marked, therefore, by the preference of certain artists for fringe structures, pointing out the seductive power abandoned, decaying places could reveal and transmit when re-appropriated and "reinterpreted" by nature. Often it is the ambiguity of this territory that is analyzed, transferred, recorded in the most inspired works of Smithson, Simnons, Matta-Clark, the latter two of whom were forcefully influenced by the theories of the first.
The history of these years, of an auto-

cabe situar la preferencia de algunos artistas por estructuras de borde, marcas de la seducción que la manufactura urbana, abandonada y en proceso de degradación, revela y transmite cuando es reconquistada a la naturaleza y cuando es "releída". La ambigüedad de este territorio puede verse analizada, transferida y registrada a menudo en las obras más inspiradas de Robert Smithson, Laurie Simnons o Gordon Matta-Clark, los dos últimos muy influidos por las teorías del primero.
La historia de estos años (una reconstrucción autónoma del universo de los lenguajes y de los "medios" conceptuales) permanece, incluso para la arquitectura, en tanto que instrumento fundamental de integración y de inspiración, encarcelado en las herencias funcionalistas de la primera mitad del siglo xx. La riqueza de aquellas fenomenologías del arte dedicadas a redefinir las estrategias de indagación y de nueva comprensión de los territorios físicos y teóricos, ha representado una evolución determinante, y casi inevitable, de los instrumentos de comprensión y materialización de cualquier posible transformación espacial o territorial, puesto que la emergencia y la propia evolución de unos mundos emocionales personales (capaces de reestructurar los lenguajes y las simbologías), permite reconquistar y sancionar el derecho a la materialización de los espacios secretos y a su transcripción al mundo real.
Como se ha señalado, tras el trabajo de muchos de los exponentes de la investigación de las artes visuales a finales de los sesenta, se encuentra la experiencia iniciada con la disensión norteamericana anterior a dicha década, que, más que ninguna otra, mantiene una correspondencia con la fascinación

nomous reconstruction of the universe of languages and conceptual "means", also remains a fundamental instrument of integration and inspiration for the world of architecture, imprisoned by the functionalist legacy of the first half of the 20th century. The richness of the phenomenologies of art devoted to the redefinition of strategies of investigation and a new comprehension of physical and theoretical territories has represented a decisive, almost inevitable evolution of the tools of comprehension and physical rendering of every possible spatial and territorial modification, since the appearance of personal emotional worlds, directly restructuring languages and symbolism, permits and authorizes a re-appropriation of the right to a physical expression of secret spaces and their transcription in the real world.
Amidst the work of many exponents of research in the visual arts at the end of the 1960s and the experimental work in the disciplinary sphere of architecture we find, as already mentioned, the experimental experience triggered by the dissent in North America before '68 in which, more than elsewhere, one senses an affinity with the charm, the seduction of spaces utilized both conceptually and in other ways, modified by the nomadic inhabitants of the North-American territory. The signals of this interest in "native Americans" and, by extension, in all those who operate in physical spaces in "soft" terms, without contamination or disruption (in open contradiction to the consumerist ideology that was being challenged at the time), are evident in many publications of those years and above all,

por unos espacios que pueden utilizarse, o no, conceptualmente y con la seducción que ejercen unos espacios transformados por los habitantes nómadas del territorio norteamericano. Las pruebas de este interés hacia los "nativos americanos" y, por extensión, hacia quienes operan en los espacios físicos en términos *soft*, sin contaminaciones ni intervenciones rompedoras (en abierta contradicción con la ideología consumista que estaba siendo contestada en aquella época), aparecen de un modo evidente en muchas publicaciones de aquellos años, así como en las diversas ediciones del *Whole Earth Catalog*; pero, sobre todo, en las ediciones del Portola Institute, de Shelter, y en la revista *Place*. La cultura *funk* mantiene una relación muy especial con el desierto, una relación sincrónica a la historizada por los pueblos nómadas; la condición de una necesidad emocional de volver a visitar un "lugar" arquitectónico, propia de quien es capaz de leer con suficiente claridad la relación entre producción de espacio e ideología, y con una disensión abierta, sin nostalgias, busca lugares de los que extraer una emoción, sin preocuparse de posteriores análisis racionales, con el fin de poder reencontrar, así, la relación directa con un lenguaje del cobijo lo más próximo posible a la naturaleza y, a ser posible, osmótico con ella. Se trata de un uso del territorio estrechamente privado, íntimo, personal, no marcado por la necesidad de comunicación suplementaria alguna. Utiliza lenguajes extraídos de las necesidades emocionales de cada uno sus propios vocablos y sus propias articulaciones. Por tanto, la "producción" de esta *funk architecture* jamás requerirá motivaciones conceptuales (el límí-

aside from the various editions of *The Whole Earth Catalog*, in the publications of the Portola Institute, *Shelter* and the magazine *Place*. "Funk" culture has a very particular relationship with the desert, in synchrony with that of the nomadic populations that historicized it, a condition of the emotional need for revisiting an architectonic "place", for those who interpret all too clearly the relationship between the production of space and ideology, and in open dissent, without nostalgia, seek out places from which to receive an emotion, without concern about subsequent rational analysis, thence to rediscover the direct relation of a language of screening that is as close as possible to nature, or even in a state of osmosis. This is a strictly private, intimate, personal use of the territory, not weighed down by any need for auxiliary communication, using languages that extract their terms and their articulation from everyone's emotional needs. The "production" of this "funk architecture", therefore, is never motivated by reasons of a conceptual kind (though the real limit of the work of the Land artists is "artistic use", the relationship of each of their works with the need to exhibit documentation), or by reasons of a rational character. It is totally and exclusively emotional, finally leading –perhaps for the first time since the industrial revolution– to a production of languages and architecture simultaneous with the research and becoming of a new culture. Above all, the numberless examples of both style and language of these phenomenologies makes them a true movement of visual expression in terms of interpretation of space and production of architecture. And

te real del trabajo de los artistas *land* es su "uso artístico", es decir, la relación entre cada una de sus obras y su necesidad de exhibir documentos de las mismas), como tampoco motivaciones racionales. Será sólo y totalmente emocional, con el propósito de registrar, quizás por vez primera desde la revolución industrial, una producción de lenguajes y de arquitecturas "en línea" con las investigaciones y el desarrollo de una nueva cultura. Las innumerables ejemplificaciones, tanto de estilo como de lenguaje, de estas fenomenologías, las convierten en un auténtico movimiento de expresión visual, referido tanto a la lectura del espacio como a la producción de arquitectura. Una característica esencial que subraya la diversidad de la investigación arquitectónica, incluso cuando esta es transgresora, es que dicha producción se manifiesta como consecuencia, y no como indicador, de una intención o de una transformación. No estamos frente al "manifiesto" de una tendencia, sino frente a unos instantes de reflexión en el transcurso de una investigación, frente a una indagación que va adoptando poco a poco instrumentos múltiples, con el fin de comunicar las distintas etapas de su propia existencia y desarrollo.
Es una situación muy distinta de la de las diversas fenomenologías implicadas en las investigaciones arquitectónicas de aquellos años, en las que, incluso con las mejores intenciones, el lenguaje arquitectónico seguía siendo el más privilegiado para comunicar toda la articulación de las intenciones, con el ancla secreta de la seguridad de que una proposición arquitectónica, por lo demás encerrada dentro de unas tipologías más o menos previstas, no tiene por qué limitarse a

an essential characteristic that underlines this movement's diversity from even transgressive architectural research, in the strict sense of the term, is that its work appears as a consequence rather than the signal of an intention or a modification: we are not looking at a "manifesto" of a current, but at moments of reflection during a path of research, an investigation that gradually makes use of multiple instruments to communicate the phases of its existence and growth.
This is a situation very different from that of the various phenomenologies involved in the architectural research of those years, in which even with the best of intentions, and simultaneous with the "funk" experience, architectural language remained the one favored to communicate the entire detailed range of intentions, still with the secret of the security that an architectural proposition, held moreover within the more or less predictable typologies, could in the end avoid being limited only to a "translation", but once again present itself as a tool for modification of the real. Architectural research has always interacted with the other creative disciplines, but often the habit –in this instance we'll call it the bad habit– of rational thinking has subordinated and made transparent, in their involutions and contradictions, the languages borrowed from the visual arts, so that at times the reference to earlier experiences in that field betrays an excessive dependency.
Based on the theoretical and experimental content found in architecture from the 1960s on, it is possible, by now in a "historical" perspective, to indicate an intention to overcome this conceptual and linguistic de-

una "traducción", sino que, por el contrario, puede proponerse una vez más como instrumento de transformación de la realidad. En arquitectura, la investigación siempre ha contado con las demás disciplinas creativas. Sin embargo, la costumbre –en este caso podríamos decir la mala costumbre de lo racional– ha relegado muchas veces ciertos lenguajes prestados de las artes visuales a una posición subalterna y contemporáneamente transparente en sus involuciones y contradicciones, de modo que la referencia a algunas experiencias previas desarrolladas en este campo sea, tal vez, la expresión de una dependencia excesiva.
Entre los aspectos teóricos y experimentales que se ponen de manifiesto en la arquitectura a partir de los años sesenta cabe señalar, desde una perspectiva "histórica", la intención de superar esta dependencia conceptual y lingüística mediante una investigación en el campo de las artes visuales.
Ciertamente, se podrían decir muchas cosas acerca de las involuciones y contradicciones iniciales, del tributo seguro e inequívoco –Archigram, por ejemplo– que deberían pagar a las formulaciones *pop* británicas y estadounidenses. Y sin embargo, la transformación consciente de la arquitectura en imagen demostró ser especialmente innovadora; la voluntaria clarificación del proyecto como instrumento de operatividad: una contaminación lingüística que era reflejo de aquella "radicalidad" de matriz conceptual que mostraba experimentaciones contemporáneas austriacas e italianas. Eran unas experimentaciones que no sólo rechazaban cualquier rasgo funcionalista y racionalista, sino que atribuían a la arquitectura una centrali-

pendency on research in the visual arts. Much can of course be said regarding the involutions and the initial contradictions, or the unmistakable debt, for example on the part of Archigram, with respect to English and North-American Pop formulations. Nevertheless what appears to be particularly innovative in their work is the conscious transformation of architecture into imagery, the intentional demystification of design as an operative instrument, a linguistic contamination that reflects the "radical" character of a conceptual approach that can be seen in simultaneous research in Austria and Italy. Experimentation that not only rejected any functionalist or rationalist framework, but went much further, attributing architecture a central role that led to the overcoming of any spatial or temporal barriers: with the statement "everything is architecture", in positive and negative terms, every interdisciplinary borderline was erased and experimentation could also make use of languages apparently distant from those of design, but which in any case were employed to transmit reflection on the condition of man, of life, the environment and the city. The rejection of official orthodoxy, straddling the 1960s and 70s, was determined and rigorous, and even today, though in less violent and decidedly more tolerant terms, we can reap the rewards of that irony and provocation, and in general of the propositions that most clearly countered the traditional manner of expression in architecture. The finest expressions of this position are those found in the Radical Architecture movement and in North-American "funk architecture".

dad que, teóricamente, debía conducir a la superación de todas las barreras espaciales o temporales. Mediante la afirmación "todo es arquitectura", en positivo o en negativo, se suprimían todos los límites interdisciplinares, de modo que incluso la experimentación podía utilizar lenguajes en apariencia lejanos al del proyecto, pero que, de todos modos, iban destinados a transmitir ciertas reflexiones acerca de la condición del hombre, de la vida, del ambiente y de la ciudad. El rechazo de la ortodoxia oficial, que se produjo entre los años sesenta y setenta, fue intransigente y riguroso. Y todavía hoy, si bien de un modo menos violento y claramente más tolerante, se están recogiendo los frutos de aquella ironía y de aquella provocación y, en términos generales, de todas las proposiciones que se contraponían más claramente a las formas tradicionales de expresión arquitectónica, y que encontraron en la arquitectura radical y en la *funk architecture* sus más logradas manifestaciones.

El origen de las investigaciones espaciales de los años sesenta, así como su definición teórica y estructural, siguen estando presentes y no quedan obsoletos por la experimentación contemporánea, aunque, en realidad, entre aquel momento y el actual todavía no se ha construido ninguna relación de causa-efecto lo suficientemente elaborada. La tensión ideológica y la dedicación a la investigación, el ansia de renovación de todos los instrumentos y las disciplinas, la esperanza de una ausencia de "administración" de los resultados obtenidos, la desinteresada y absoluta dedicación a las investigaciones experimentales disciplinares: todo esto ha desaparecido hoy. Las aspiraciones de los ingenuos artistas de

The origins of the research on space of the 1960s and its theoretical and structural definition are still present and haven't been rendered obsolete by contemporary phases of experimentation, although to be truthful sufficiently developed cause and effect links between the experimentation of the time and the present have yet to be constructed. The ideological focus and dedication to research, the urgent desire to renew instruments and disciplines, the hope for a "non-administration" of the results achieved and the detached, complete devotion to experimental disciplinary research have vanished today. The aspiration of the ingenuous figures of the 1960s was to renew the disciplinary field in the image of the wider cultural renewal in progress at the time; ideology played decisive roles, and the different visual languages developed indicated the multiplicity of directions of research, the absolute willingness to incorporate any suggestion, however it was expressed, arriving from other arts or other conditions of creativity and research.

Although today's architectural research is lacking in the ideological tension and conceptual rigor that gave structure and content not only to Radical Architecture but also to the phenomenologies of Land, Conceptual and "Funk" Art, such stances should not be revived as a constraint on the rediscovered freedom of contemporary experimental eclecticism. Instead, they should be revisited in terms of critique, study and information. It is not by ignoring the debate and the historical relations between architecture and the visual arts, but by resolving and sustaining the confront-

los años sesenta consistían en la renovación del campo disciplinar siguiendo la renovación cultural más general de aquel momento. La ideología jugaba un papel determinante, y los distintos lenguajes visuales que se pusieron en marcha indicaban la multidireccionalidad de la investigación, la absoluta disponibilidad para incorporar cualquier sugerencia que proviniese del resto de las artes u otras condiciones creativas e investigadoras, fuese cual fuese su forma de expresión. Si bien en la actualidad aquella tensión ideológica y aquel rigor conceptual que habían otorgado una estructura y un contenido no sólo a lo *radical*, sino que también a las fenomenologías *land*, *conceptual* o *funk*, están ausentes de la investigación arquitectónica, dichas fenomenologías no son reconsideradas aquí como vínculos con la libertad reencontrada del eclecticismo experimental contemporáneo, sino más bien se revisitan en términos críticos, de estudio y de información.
No ignoramos la discusión entre arquitectura y artes visuales, ni sus relaciones históricas, sino que pretendemos resolver el enfrentamiento entre ellas; releerlo como esperanza de una investigación que no quede dividida en dos: la de la arquitectura (que ha descubierto la posibilidad de experimentar proyectualmente con total libertad, de volver a recorrer unos itinerarios ya recorridos y resueltos por las investigaciones más recientes de las artes visuales sin necesidad de historizarlos) y el de la investigación artística que, desde hace años y a muchos niveles, se ocupa en buscar instrumentos y profundiza en las problemáticas propias de los campos del espacio y del ambiente.

ation, that the hope can survive for the development of a research that is not separated into two autonomous branches. One, that of architecture, has discovered it has the possibility to experiment freely and to retrace, without historicizing them, itineraries already explored and resolved in the most recent research in the visual arts. The other, that of artistic research, for many years and on many levels, at this point, has worked with and developed tools for in-depth study of issues in the field of space and the environment.
Interest in today's critical analysis of these experiments lies in an awareness of the necessity, in those years, to approach the urban structure and what lies outside it with specific experimental languages as tools of comprehension of a context, an environment that had long been overlooked, and of re-appropriation of the territory through symbolic instruments that define and occupy urban or metropolitan spaces with "other" meanings, beyond the spontaneous ones, other tools of use, connection and production: this opens an experimental and critical path of interpretation of the global environment as a place of aspirations, desires, tools of contemporary symbolism, and which the past reassembles, up until yesterday.

El interés por un análisis crítico actual de estas experimentaciones reside en la constatación de la necesidad, vigente en aquellos años, de connotar tanto la estructura urbana como el exterior de la misma con unos lenguajes experimentales (propios, entendidos como instrumentos de comprensión de un contexto determinado, de un ambiente ignorado durante mucho tiempo) y en la constatación de la posibilidad de volverse a apropiar del territorio mediante una instrumentación simbólica que defina los espacios urbanos o metropolitanos, y que los ocupe con significados "otros", más allá de sus significados espontáneos o de su condición de instrumentos de uso, relación y producción. De ese modo, se inicia el recorrido experimental y crítico de una lectura del ambiente global como lugar de aspiraciones y deseos, como instrumento de simbologías contemporáneas. Con ello, el pasado vuelve a compactarse; hasta ayer mismo.

“Poner los ojos una vez más sobre aquella obra de arte sería más que suficiente. No harán falta ni palabras ni preguntas. Permaneceré sentado en silencio, solo, con las piernas cruzadas y una mano pensativa en el mentón, y la admiraré. Realmente, no creo que ella vuelva a hacerme esa pregunta. ¿Por qué, después de haberme llevado tan lejos, tendría que echar a perder un momento de perfección estética?”.

DAVID KNOWLES, *The Third Eye,* Bloomsbury Publishing, Londres, 2000.

“Descubrió que el verdadero sentido del arte no era crear objetos bellos. Era un método de conocimiento, una forma de penetrar en el mundo y encontrar el sitio que nos corresponde en él, y cualquier cualidad estética que pudiera tener un cuadro determinado no era más que un subproducto casual del esfuerzo de librar esa batalla, de entrar en el corazón de las cosas. Procuró olvidar las reglas que había aprendido, confiando en el paisaje como en un socio, abandonando voluntariamente sus intenciones y rindiéndose a los asaltos del azar, de la espontaneidad, a la embestida de los detalles brutales. Ya no le daba miedo la soledad que le rodeaba. El acto de tratar de plasmarla en los lienzos le había servido para interiorizarla de alguna manera y ahora podía percibir su indiferencia como algo que le pertenecía a él, tanto como él pertenecía al silencioso poderío de aquellos gigantescos espacios. Según me dijo, los cuadros que pintó eran toscos, llenos de colores violentos y de extrañas e involuntarias oleadas de energía, un remolino de formas y de luz”.

PAUL AUSTER, *Moon Palace,* Faber & Faber, Londres/Boston, 1989; (versión castellana: *El palacio de la Luna,* Anagrama, Barcelona, 2001).

“To lay my eyes on that work of art again would more than suffice. No words or questions will be necessary. I’ll just sit quietly with my legs crossed, a thoughtful hand on my chin, and admire her. Of course, I don’t expect she’ll grant this request. Indeed, after taking me this far, why ruin a moment of aesthetic perfection?”

DAVID KNOWLES, *The Third Eye,* Bloomsbury Publishing, London, 2000.

“The true purpose of art was not to create beautiful objects, he discovered. It was a method of understanding, a way of penetrating the world and finding one’s place in it, and whatever aesthetic qualities an individual canvas might have were almost an incidental by-product of the effort to engage oneself in this struggle, to enter into the thick of things. He untaught himself the rules he had learned, trusting in the landscape as an equal partner, voluntarily abandoning his intentions to the assaults of chance, of spontaneity, the onrush of brute particulars. He was no longer afraid of the emptiness around him. The act of trying to put it on canvas had somehow internalized it for him, and now he was able to feel its indifference as something that belonged to him, as much as he belonged to the silent power of those gigantic spaces himself. The pictures he produced were raw, he said, filled with violent colors and strange, unpremeditated surges of energy, a whirl of forms and light.”

PAUL AUSTER, *Moon Palace,* Faber & Faber, London/Boston, 1989.

Guía del usuario
User's guide

Artscape es una palabra que pretende sintetizar la idea de intervención en el paisaje por medio de una aproximación artística. El propósito del arte, la escultura y la música no es reproducir o inventar unas formas, sino captar unas fuerzas. La arquitectura, además de captarlas, tiene también que organizarlas.
El primer objetivo de este libro es intentar leer el territorio a través de los *artscapes* creados a propósito, con el fin de redescubrir su esencia y sus posibilidades de uso.
De hecho, no existe el territorio en estado natural, sino que es el producto de una evolución paralela, y de largo alcance, de la comunidad que lo habita y del ambiente. Los artistas han sido los primeros en poseer la capacidad de hacerlo visible y de analizarlo, poniendo de manifiesto algunas de sus características. Por el contrario, los arquitectos se han distinguido siempre por su voluntad de refundarlo, diferenciándolo del paisaje. En los últimos años, los arquitectos han encontrado en los modos de operar del arte un estímulo capaz de fortalecer su propia disciplina, siempre autorreferencial. De ese modo, el paisaje, tal como había sucedido en las obras de los años setenta del *land art*, se ha convertido en un material con el cual poder reconstruir el territorio en el que vivimos.
Algunas de las arquitecturas presentadas en este libro evocan auténticas intervenciones del *land art*, las cuales se enriquecen a lo largo de su formación con la fuerza del uso y

Artscape is a term that tries to sum up the idea of intervention in the landscape based on an artistic approach. In art, sculpture and music the idea is not to reproduce or invent forms, but to harness forces. Architecture has to go further, to not only channel the forces but also to organize them.
The first aim of this book is to try to interpret the territory through artscapes that have been specifically created to help us rediscover its essence and potential for use.
The "territory" as such does not exist in nature. It is the result of a lengthy evolution of the settled population and the environment. Artists have always had the capacity to make it visible, to shed light on certain of its characteristics through analysis.
Architects, on the other hand, have always stood out for their desire to redefine the territory, differentiating it from the landscape. In recent years architects have turned to the operative modes of art in search of stimuli capable of restoring force to their increasingly self-referential discipline. Thus the landscape, as happened in the works of the land artists of the 1970s, becomes a material with which to reconstruct the territory in which to live.
Some of the works of architecture seen in this book evoke veritable works of Land Art which are enhanced, in their formation, by the force of utilization and the flows related to activity. Through an apparently arbitrary

medio de un análisis aparentemente arbitrario, las obras de arte y las arquitecturas se presentan sin un orden establecido de antemano, con el fin de poder superar las definiciones formales y las clasificaciones temáticas. De ese modo, la arquitectura sigue una "lógica de las sensaciones" capaz de generar espacios de nueva creación.

El ensayo se organiza en seis capítulos (que no deben leerse necesariamente por orden), cada uno de los cuales afronta de un modo distinto la relación entre el arte, la arquitectura y el paisaje. Estas tres disciplinas se contrastan, se intercambian sugerencias y métodos de lectura, de análisis y de acción.

En **El espacio a descubrir** se examinan las intuiciones de Gordon Matta-Clark, uno de los primeros en romper el límite entre arte y arquitectura. En **Redefinir el espacio del territorio** los arquitectos interactúan con el paisaje de un modo inesperado, intentando evidenciar algunas de sus características. Casagrande & Rintala realizan jardines colgantes sobre barcas abandonadas. Makoto Sei Wantanabe registra en sus instalaciones el movimiento del viento, convirtiendo lo natural en artificial. En **Cuando el arte se convierte en paisaje**, artistas como Christo & Jeanne-Claude crean un método donde el valor no reside tan sólo en la obra de arte, sino también en su proceso de construcción y organización.

Arte + arquitectura + contexto contrasta con aquellos espacios mentales capaces de generar un campo emotivo de reacciones entre el lugar, el sujeto y el artista. Richard Serra señala el espacio urbano generando interferencias entre la obra de arte y quienes la contemplan. Peter Eisenman crea ese mismo tipo de interferencias construyendo un monumento a las víctimas del Holocausto, donde el espacio real se confronta con el es-

presented without a predetermined order, in such a way as to discourage application of formal definitions and categories. Thus the architecture follows "a logic of sensations" capable of generating spaces conceived in a new way.

The book is divided into six chapters (not necessarily to be read in sequence), each with a different approach to the art/architecture/landscape relation. The disciplines meet, swapping suggestions and methods of interpretation, analysis and action.

A space to be discovered examines the intuitions of Gordon Matta-Clark, one of the first to break down the confines between art and architecture. In **Redefining the space of the territory** architects interact with the landscape in unexpected ways, shedding light on certain characteristics. Casagrande & Rintala make floating gardens on salvaged boats, Makoto Sei Watanabe records the movement of wind in his installations, transforming the natural into the artificial. In **When art becomes landscape** artists like Christo & Jeanne-Claude supply a method in which the value lies not exclusively in the artwork, but also in the process of its construction and organization.

Art + architecture + context come to terms with the mental spaces capable of generating a field of emotional reactions among place, subject and artist. Richard Serra marks urban space by triggering interferences between the artwork and those who experience it. Peter Eisenman produces the same type of interference when constructing a Holocaust memorial. In this project real space confronts the mental space generated by the physical sensations the architecture produces in the person crossing it. Mary Miss builds functionless places that could easily be works of architecture, while

corporales que la arquitectura produce en quienes lo atraviesan. Mary Miss construye unos lugares sin función que muy bien podrían ser arquitecturas, del mismo modo que The Next Enterprise nos ofrece unas obras de arte que se revelan como arquitecturas en constante transformación. Las intervenciones de Diller & Scofidio y de West 8 generan lentamente un proceso de transformación del paisaje, **Paisajes en transformación**, creando lugares donde ya casi no hay diferencias entre el espacio de la arquitectura y la instalación artística. *Blur* es al mismo tiempo una instalación, un lugar natural y un edificio. Finalmente, en **Programar la superficie de la tierra**, los arquitectos rediseñan un paisaje artificial mediante la transformación de los espacios existentes entre las distintas superficies. Con esta tentativa desaparece toda diferencia entre territorio y arquitectura. Foreign Office Architects y Shuei Endo, cada uno a su modo, se proponen recuperar y valorar los lugares en su individualidad y en su identidad.

La conclusión es que, actualmente, muchos arquitectos parecen haber asimilado finalmente la afirmación de Paul Klee: "El arte no reproduce las cosas visibles, sino que hace cosas visibles... (puesto que) el artista contempla las cosas que la naturaleza dispone, ya formadas, ante sus ojos, y lo hace con una mirada penetrante. Y cuanto más a fondo las penetra, tanto más fácilmente logra desplazar el punto de vista de la mirada anterior; tanto más se le imprime en la mente, en vez de una imagen natural definida, la imagen esencial y única, la de la creación como génesis".[1]

[1] Spiller, Jürg von (ed.), *Paul Klee. Das bildenerische Denken: Schriften zur Form- und Gestaltungslehre,* Benno Schwabe, Basilea/Stuttgart, 1956.

turn out to be architecture in constant transformation. And on to the interventions of Diller & Scofidio and West 8, which slowly set in motion a process of metamorphosis, **Transforming landscape**, creating places in which there is almost no difference between the space of architecture and the art installation. *Blur* is simultaneously an installation, a natural place and a building.

Finally, in **Programming the land surface** architects redesign an artificial landscape through the transformation of the spaces between the surfaces, an attempt to erase any difference between territory and architecture. Foreign Office Architects and Shuhei Endo try, in a different way, to recover and make better use of places, focusing on their individuality and identity.

The conclusion is that today many architects seem finally to have assimilated the words of Paul Klee: "Art does not reproduce the visible, but makes visible [...] because the artist observes the things nature places before his eyes, with a penetrating gaze. And the deeper he penetrates, the easier it is for him to shift the viewpoint from today to yesterday, the more he be able to fix in his mind, in place of a defined image of nature, the unique, essential image, that of creation as genesis."[1]

[1] Spiller, Jürg von (ed.), *Paul Klee. Das bildenerische Denken: Schriften zur Form- und Gestaltungslehre,* Benno Schwabe, Basle/Stuttgart, 1956. (English version: "Creative Credo", in Paul Klee, *The Thinking Eye. The Notebooks of Paul Klee,* Lund Humphries, London, 1961).

“Creo que todos [los proyectos] son versiones diferentes de una preocupación por lo dinámico. Lo que realmente quisiera expresar con este modo de trabajar es la idea de transformar esta condición estática, cerrada, de la arquitectura a un nivel muy mundano en una arquitectura que incorpore esta especie de geometría animada, o esta relación viva y tierna entre el vacío y la superficie [...] que implica una especie de dinamismo cinético, interno”.

GORDON MATTA-CLARK, Russi Kirshner, Judith, “Entrevista con Gordon Matta-Clark”, en *Gordon Matta-Clark* (catálogo de la exposición homónima), IVAM, Valencia, 1993

“I think that they’re [the projects] all different versions of some kind of preoccupation with a dynamic. The thing I would really like to express by that way of working is the idea of transforming this static, enclosed condition of architecture on a very mundane level into this kind of architecture which incorporates... this sort of animated geometry of this animated, tenuous relationship between void and surface... [They] imply a kind of kinetic, internal dynamism of some sort.”

GORDON MATTA-CLARK, Russi Kirshner, Judith, “Interview with Gordon Matta-Clark” [1978], in *Gordon Matta-Clark* (exhibition catalogue), IVAM, Valencia, 1993

El espacio a descubrir
A space to be discovered

El límite entre arte y arquitectura se está diluyendo cada vez más. Entre los artistas y los arquitectos se está instaurando una relación de intercambio de experiencias y una confrontación que se lleva a cabo en el paisaje. Mientras que el arte ha abandonado los museos en busca de la participación de unos observadores cada vez más interesados en vivirlo, la arquitectura, por el contrario, está definiendo el territorio público y empieza a ser considerada como un objeto. Ambas reflejan la compleja situación del pensamiento contemporáneo, que afronta de nuevo el problema del lenguaje y de la relación con el contexto en el cual deberá insertarse cada obra.
El paisaje se ha convertido en el nuevo campo de acción, donde los destinatarios dejan de ser simples observadores y se con-

The borderline between art and architecture is becoming increasingly blurred. Artist and architects are establishing a relationship of exchange of experiences and confrontation at the level of the landscape. Art escapes from museums in search of the participation of observers who are increasingly interested in more direct experience, while architecture, on the other hand, defines public territory and begins to be viewed as an object. Both reflect the complex situation of contemporary thought, which returns to the question of language and the relationship with the context in which individual works are inserted.
The landscape becomes the new field of action in which the "users" stop being normal observers and become indispensable elements for the definition of the space that

vierten en elementos indispensables para la definición del espacio que los alberga. Se hace también evidente que el paisaje está emergiendo bajo un nuevo aspecto. Los arquitectos de hoy, al igual que los artistas de finales de los sesenta, optan por introducirse en el propio paisaje y trabajar con sus aspectos más significativos. No representan el paisaje, sino que se implican en él. En 1970, la escultura se había convertido en un nuevo tipo de práctica y, en la actualidad, después de aquellas experiencias artísticas, es la arquitectura la que está sufriendo un proceso de transformación. Al igual que ocurrió con la escultura, las obras arquitectónicas consiguen adoptar un vocabulario paisajístico híbrido. A los signos naturales se añaden unos signos típicamente artificiales que pertenecen ya a la ciudad contemporánea. El nacimiento de un nuevo lenguaje asalta la ciudad, puesto que "ahora muchos artistas del entorno no sólo buscan una mera audiencia para su trabajo, sino un público con el cual puedan dialogar acerca del significado y las intenciones de su arte". [1]

En las ciudades, los museos dejan de ser contenedores para convertirse en otra cosa, puesto que el propio arte se convierte en un museo, o mejor, en un espacio de emociones y de sensaciones corporales. James Turrell elimina el falso techo de una de las salas del MoMA de Nueva York PS1, suprimiendo así su significado como espacio para exposiciones. Su obra constituye un paisaje dentro del propio cuerpo de la arquitectura. Es una actitud que muestra la naturaleza y el paso del tiempo durante un día mediante el movimiento de las nubes o los cambios de la luz solar. "Nuestro interior

hosts them. It is also evident that landscape is emerging in a different guise. Architects today, like artists in the late 1960s, choose to enter the landscape itself, to work with its salient features, not depicting the landscape but engaging with it. In the 1970s sculpture was transformed into a new practice, and in the wake of these artistic experiences today it is architecture that is going through a process of transformation. As was the case for sculpture, architecture makes use of a hybrid landscape vocabulary, natural signs are joined by the typically artificial ones that are by now an integral part of the contemporary city. The birth of a new language impacts the cities, because "many environmental artists now desire not merely an audience for their work but a public, with whom they can correspond about the meaning and purpose of their art." [1]

In the cities museums lose their function as containers, becoming something else, because art itself becomes a museum, or more precisely the space of emotions and bodily sensations. Turrell removes the ceiling of one of the rooms in the contemporary art museum PS1 in New York, erasing the meaning of exhibition space, as his work becomes landscape inside the very body of the architecture itself. He displays nature and the passage of time during the course of the day, the movement of the clouds and the changes in the sunlight. "Our inside is also outside." [2] You can stay in this open room, to read or just to spend time; mere observation of the work is no longer sufficient, and perhaps no longer necessary. "You need to stay still, in silence, for the time required to immerse yourself in a reality that is above

se encuentra también fuera".[2] Podemos permanecer en esta sala abierta leyendo y dejando pasar el tiempo; no basta con limitarse a contemplar la obra, tal vez ni siquiera sea necesario. "Tenemos que permanecer inmóviles y en silencio durante todo el tiempo que haga falta para sumergirnos en una realidad que se encuentra sobre nuestra cabeza, día y noche, a lo largo de toda la vida, pero a la cual prestamos escasa atención. En ese momento recordamos que no somos nada, pero que somos conscientes frente a una realidad inmensa que nos permite existir y que existe por encima del tiempo, mientras quedamos sujetos al devenir que transcurre cada vez con mayor rapidez".[3] Lo realmente importante es que exista un espacio preparado para acogernos. De ese modo cambia la noción de paisaje o, mejor, se transforma. Ahora ya no hacemos arquitectura tan sólo para entrar en contacto con el exterior de un modo visual. Primero la definimos como un interior, como un lugar cerrado dentro de unos límites, y luego, mediante el arte, intentaremos romper dichos límites.
La confrontación entre arquitectura, arte y paisaje se produce de un modo natural en el proyecto del Roden Crater, en Arizona. El cono del cráter, situado en el centro de una llanura, tiene unos trescientos metros de altura, y su forma cónica es tan perfecta que parece una manufactura artificial. Los altos márgenes del cráter impiden cualquier visión del paisaje circundante desde su interior. Sólo mantiene contacto con el cielo y con las variaciones de la luz a lo largo del ciclo de las veinticuatro horas.
Con su intervención, Turrell convierte la

our heads, night and day, throughout our lives, though we seldom pay attention to it. In that moment we notice that we are nothing, but we are conscious, in the face of an immense reality that makes us exist and itself exists beyond time, while we are subject to the condition of becoming that races faster and faster." [3] The important thing is that a space is there, ready to welcome us; in this way the notion of landscape changes, or is transformed. Today architecture is not created only for visual contact with the outside world. It is defined first of all as an interior, a place enclosed by borders, and then through art it attempts to break those borders down.
The interface of architecture, art and landscape happens in a natural way in the Roden Crater project in Arizona. The cone of the crater in the center of a plain is about 300 meters in height. Its conical form is so perfect that it seems artificial. The high walls of the crater eliminate any view of the surrounding landscape from the inside. The only contact is with the sky and the variation of the light during the course of the day. Turrell transforms the essence of this spatial perception into an artwork by means of an invisible work of architecture, a tunnel running from the base of the volcano to the center of the crater, a room from which it is possible to observe the sky.
"My work in the desert is open to the experience of space outside of the self. The natural scenario around the crater expresses the geological stratifications in an extraordinary manner, and looking at the landscape from the edges of the crater we plunge into a sensation of time totally different from

esencia de esta percepción espacial en una obra de arte, por medio de una arquitectura invisible: un túnel que parte de la base del volcán y que conduce hasta un espacio situado en el centro del cráter, una habitación desde la cual podemos observar el cielo. "Mi trabajo en el desierto quiere abrirse a la experiencia del espacio exterior en sí. El escenario natural que rodea al cráter expresa las estratificaciones geológicas de un modo extraordinario, y cuando miramos el paisaje desde los bordes del cráter nos encontramos sumergidos en una noción del tiempo completamente distinta de la habitual [...]. He querido construir habitaciones en un escenario como éste para recoger los acontecimientos celestes, para jugar con la música de las esferas mediante la luz. He construido estas conchas, todas ellas distintas, como si fuesen sofisticados instrumentos para capturar la luz que proviene del exterior, y para transformar la percepción de quien las observa y, desde ellas, vuelve a mirar hacia el exterior [...]. Quien atraviesa estas habitaciones tiene la sensación de que todo tiene un sentido, parece como si las hubiese construido él mismo, y entonces comprende que es así como creamos nuestro espacio y definimos sus límites dentro de la vastedad que nos rodea [...]. No hago más que mover una cantidad de tierra relativamente pequeña para ejercer una influencia sobre la percepción de un espacio muy vasto".[4]

El **arte** incorpora conceptos y reflexiones libres, y busca la participación del observador, que pasa a disfrutarlo.

La **arquitectura** se vuelve permeable, se rompen los márgenes entre el interior y el exterior y empieza a ser considerada como un

the one we are accustomed to. [...] In such a scenario I wanted to build rooms to hold celestial events, to play with the music of the spheres through light. I have built these shells, each different from the others, as sophisticated instruments for capturing light coming from the outside, and for transforming the perception of the person who observes them and then turns from them to look to the outside. [...] The visitor who traverses these rooms feels that all this has a meaning, feels almost as if he had constructed it himself, and understands that this is how we create our space and set its boundaries within the vastness that surrounds us. [...] In effect, a relatively small amount of earth is moved to influence the perception of an immeasurably vast space." [4]

Art incorporates free reflections and concepts, seeking the participation of observers who become "users".

Architecture becomes permeable, breaking down the borderlines between interior and exterior, and beginning to be observed like an object.

The gaze of the artist and that of the architect overlap in the space between things, in the fluid dynamic of the cities and their surrounding nature-landscape: control, not the form, of empty space becomes the theme of the project. This control generates a reaction that triggers a non-formal dynamic in the landscape, revealing the reality of open space. Artists and architects discover this space and then restructure it, to make it different, no longer static but dynamic, capable of being interactive and flexible, especially in relation to the user who becomes "the link between the idea and the physical reality

objeto. La mirada del artista y la del arquitecto se superponen en el espacio existente entre las cosas, en la dinámica fluida de las ciudades y de la naturaleza-paisaje que las rodea. El control –y no la forma– del espacio vacío se convierte en el tema de proyecto. Dicho control genera una reacción que inserta en el paisaje una dinámica que no es formal y que revela la realidad del espacio abierto. Los artistas y los arquitectos descubren dicho espacio, y luego lo reestructuran de tal modo que lo vuelven diverso, no estático sino dinámico, capaz de ser interactivo y flexible, pero siempre especialmente ligado al usuario, quien se convierte en "el vínculo entre la idea y la realidad física, y en el catalizador de la creación del espacio".[5]
La diferencia más evidente entre el *land art* y la arquitectura reside precisamente en el tipo de implicación de quienes los disfrutan. La arquitectura restringe los movimientos y organiza las actividades de acuerdo con unas reglas. Por el contrario, el *land art* no sigue unas reglas evidentes: busca un diálogo, se alimenta de las acciones y de la naturaleza transformándolas en invenciones espaciales. El objeto no es el protagonista, sino el espacio dinámico creado por las acciones que se desarrollan en torno a los objetos.
En este ensayo no haré distinciones entre los proyectos de arquitectura y las instalaciones artísticas, ni buscaré similitudes formales. No tengo ningún interés en las reglas y en los resultados formales, sino más bien en la continuidad entre el arte y la arquitectura. Mediante sus intervenciones en el territorio contemporáneo, el Arte y la Arquitectura intercambian sus papeles en un juego de reenvíos constantes.

and the catalyst in the creation of space."[5]
The most evident difference between Land Art and architecture lies precisely in the type of involvement of the user.
Architecture limits movements, organizes activities according to rules, while Land Art has no apparent rules; seeking dialogue, it makes use of actions and nature, transforming them into spatial inventions. The protagonist is not the object, but the dynamic space created around the object by action.
In this study I will make no distinction between architectural projects and art installations, nor will I look for formal similarities. I am not interested in the rules and the formal results, but in the continuity that exists between art and architecture. Intervening in the contemporary territory, art and architecture swap roles in a game of continuing interchange.
Observation of a sculpture or a building causes different but very simple sensations. At first we see things we later discover were not there at all, or rather when we look closer, when we experience the space, we notice details that escaped us at first. Space should be experienced, listened to and not just looked at: the more beautiful it is (the more it moves us) the more there will be to listen to.
In recent years the notion of "space" has taken on the value of a theoretical fetish of academics, losing something of its useful value in the process of its own generation. Contemporary architecture rejects the notion of space as a plane on which to organize a series of relations and activities of different types, "as an isotropic extension for models of production as such. Lefebvre at-

Observar una escultura o un edificio provoca sensaciones diversas aunque muy sencillas. Al principio vemos ciertas cosas, luego descubrimos que, en realidad, no existen o, más bien, cuando las miramos con más atención, cuando vivimos un espacio, nos fijamos en ciertos detalles que, al principio, se nos habían pasado por alto. El espacio debe vivirse, debe escucharse y no sólo contemplarse. Cuanto más bello es un espacio (es decir, cuando nos emociona), tanto más debe escucharse.

En los últimos años, la noción de "espacio" ha adquirido un valor de fetiche teórico en el mundo académico, de modo que ha perdido parte de su valor de uso a lo largo del proceso que lo genera. La arquitectura contemporánea rechaza la noción de espacio como plano sobre el que se organizan una serie de relaciones y actividades de matrices diversas: "como si fuese una extensión isotrópica para unos modelos de producción similares a los que Lefebvre ha observado en el papel anticipatorio y formativo de los actores en dicho espacio, algo parecido a un valor de uso o a una praxis. Me gustaría recoger el sentido heterogéneo del espacio tal como lo articula Lefebvre, rechazando precisamente una lectura de las obras de Gordon Matta-Clark como una reflexión pasiva del entorno que las circunda".[6]

El espacio se esconde en el paisaje que nos circunda. Los artistas y los arquitectos lo muestran trabajando en el límite entre lo natural y lo artificial.

Gordon Matta-Clark fue uno de los primeros en hacer que este límite dejara de existir, en confundir el método de construcción con el de demolición, en experimentar el

tends to the anticipatory and formative role of the actors on that space as a kind of use value or praxis. I wish to retain the heterogeneous sense of space that Lefebvre articulates, precisely by rejecting an account of Gordon Matta-Clark's work as passively mirroring its environmental surround." [6]

Space is concealed in the landscape that surrounds us, and artists and architects reveal it, working on the borderline between the natural and the artificial.

Gordon Matta-Clark was one of the first to erase this borderline, confusing the method of construction with that of demolition, experimenting with space in constant transformation, showing us that observation is first of all a question of entering into contact with what is out there, eliminating barriers and teaching us to "read" negative space. Matta-Clark sought a relation between the space in which we live and the landscape, breaking the border between full and empty in a sort of total liberalization, because he gave up on considering architecture a discipline of stability and unchanging permanence at all costs. For him, public space needs to be able to transform itself: "Our thinking about anarchitecture was more elusive than doing pieces that would demonstrate an alternative attitude to building, or, rather to the attitudes that determine containerization of usable space. [...]. We are thinking more about metaphoric voids, gaps, leftover spaces, places that were not developed. [...]. For example, the places where you stop to tie your shoelaces, places that are just interruptions in our own daily movements." [7]

For these reasons Matta-Clark tried to combine two types of thinking, that of the artist

espacio en constante transformación, demostrando que observar consiste, ante todo, en entrar en contacto con lo que está fuera, suprimiendo todas las barreras y enseñándonos a leer el espacio negativo. Gordon Matta-Clark buscó una relación entre el espacio que vivimos y el paisaje, rompiendo el límite entre el lleno y el vacío a través de una especie de liberalización total, puesto que renunció a considerar la arquitectura como la disciplina de la estabilidad y de la inmutabilidad a cualquier precio. Para él, el espacio público debe poder transformarse: "Nuestro pensamiento en torno a la anarquitectura no se reducía a hacer piezas que demostraran una actitud alternativa hacia los edificios o, más bien, hacia las actitudes que determinan la contención del espacio [...]. Pensábamos más en vacíos metafóricos, huecos, espacios sobrantes, lugares no aprovechados [...]. Por ejemplo, los lugares en los que te paras para atarte los cordones de los zapatos, lugares que son simples interrupciones de tus propios movimientos cotidianos".[7]

Por ello, Matta-Clark se propone fundir dos pensamientos: el pensamiento artístico que le permite mantenerse libre frente al espacio y sus posibilidades, y el pensamiento arquitectónico que le ofrece los instrumentos para construirlo.

Sus intervenciones más conocidas proponen suprimir cualquier valor funcional al espacio del habitar; proponen abandonar la separación clásica entre espacio público y espacio privado haciendo que entren en relación uno con otro. La deconstrucción, realizada en la práctica mediante cortes en los edificios, anula la separación entre el inte-

that permits him to be free regarding space and its possibilities, and that of the architect that provides him with the tools with which to construct it.

His best-known works were aimed at removing any functional value from living space, in an attempt to destroy the classic notion of public space and private space, placing the two in relation. His deconstruction, effected by cutting through buildings, eliminating the barrier between inside and outside, allowing shade, light, weather to enter the house. The cut is not a window but a border to pass over, if only with the gaze, to know more. "Starting at the bottom of the stairs where the crack was small, [...] further up, you'd have to keep crossing the crack. It kept widening as you made your way to the top, the crack was one or two feet wide. You really had to jump it. You sensed the abyss in a kinesthetic and psychological way." [8]

The dissected house by Matta-Clark is neither architecture nor sculpture, but a space in which to move, in which to grasp the very meaning of habitation and its relation with the surrounding place. This also means immersing oneself in a semi-natural landscape where the critique of the artificial is reinforced precisely by making it natural. In his works there is a very strong notion of a place for intervention (a site) that depends upon a chiasmic intertwining of space and body. The observer becomes a user through the action that involves the space.

In the case of Matta-Clark art goes beyond architecture, because it defines the differences with sculpture, in the approach to and the temporal management of spaces, and becomes an artistic landscape of a new

rior y el exterior: la sombra, la luz y los agentes atmosféricos entran en la casa. Es posible encontrarse a un mismo tiempo dentro y fuera, puesto que la desintegración del espacio lo favorece. El corte no es una ventana, sino un límite que, con el fin de poder conocer, debe superarse incluso sólo con la mirada. "Partimos del arranque de la escalera, donde la grieta es pequeña [...] al subir, a medida que avanzas, tienes que seguir cruzando la grieta. Se va ensanchando a medida que asciendes; la grieta tiene uno o dos pies de anchura. Realmente tenías que saltarla. Sentías el abismo de un modo cinestético y psicológico".[8]

La casa cortada de Matta-Clark no es ni una arquitectura ni una escultura, sino un espacio donde moverse, donde poder comprender el significado íntimo del habitar y su relación con el lugar que lo rodea. Significa también una inmersión en un paisaje seminatural donde la crítica a lo artificial queda reforzada precisamente al volverlo natural. La noción de lugar de intervención (*site*) es muy potente en sus obras, una noción que depende de una *lucha quiasmática* entre el espacio y el cuerpo. El observador puede disfrutar del espacio mediante la acción que lo envuelve.

En el caso de Matta-Clark, el arte supera a la arquitectura puesto que define sus diferencias con la escultura, en su actitud y en su gestión temporal del espacio, y se convierte en un paisaje artístico de nueva creación. Producir paisaje significa iniciar un diálogo con el emplazamiento que permite superar la noción clásica del mismo y deja de ser una bandeja sobre la cual se deposita un objeto cualquiera, sea una escultura o

conception. To produce landscape means establishing a dialogue with the site, making it possible to go beyond the classical notion; no longer a tray on which to place any object, albeit a sculpture or a building in which to live, but a way of intervening, a dialogue, a spatial idea.

In October 1968 the Dwan Gallery in New York organized an exhibition with the title *Earth-works.* About forty artists showed large outdoor works that could only be displayed in a gallery context by means of photographs or descriptive documentation. The theme of the works reflected an interest in ecology and concern regarding the condition of the environment, but the message was clearly that all the works in the show were confronting the theme of the relationships between land and human beings.

Robert Morris places a pile of dirt, earth, dust, pieces of wood and other scrap materials at the center of the room, declaring at the end of the show: "What art now has in its hands is mutable stuff which need not arrive at a point of being finalized with respect to time or space. The notion that work is an irreversible process ending in a static icon-object no longer has much relevance." [9]

This declaration seems to perfectly describe the attitude of contemporary architects. Diller & Scofidio, Philip Rahm, Casagrande & Rintala trigger irreversible processes capable of defining transformable objects in continuous evolution, where the inhabited space is born and develops in relation to a mental space of reference.

Another important statement is provided by Robert Smithson in his introduction to the exhibition *Earth-works.* "These works have

GORDON MATTA-CLARK,
Office Barroque,
Amberes, Bélgica, 1977.

GORDON MATTA-CLARK,
Office Barroque,
Antwerp, Belgium, 1977.

GORDON MATTA-CLARK, ***Bronx Floors. Threshold,*** **Nueva York, EE UU, 1972-1973.**

GORDON MATTA-CLARK, ***Bronx Floors. Threshold,*** **New York, USA, 1972-1973.**

un edificio donde se vive. Es una manera de intervenir en el paisaje, un diálogo, una noción espacial.

En octubre de 1968 se inaugura una exposición en la Dwan Gallery de Nueva York bajo el título de *Earth-works.* En dicha exposición, cuarenta artistas presentan obras de grandes dimensiones, todas ellas caracterizadas por su localización exterior, imposibles de exhibir en una galería sino mediante documentación fotográfica o descriptiva. El contenido de aquellas obras reflejaba un interés por la ecología y una preocupación por las condiciones ambientales. El mensaje, sin embargo, era claro y bien definido: todos los trabajos expuestos abordaban el tema de las relaciones entre la tierra (*land*) y el hombre. **Robert Morris** colocó en el centro de la sala un montón de porquería –tierra, polvo, tro-

little to do with the current vision of landscape or nature." For him, the desert is not a natural place but a spatial concept, a place "that swallows up boundaries." [10]

The artists involved in the exhibition worked closely on the notion of place because they were seeking the hidden relations between observers and boundaries, between inside and outside, center and outskirts. Today this same situation characterizes the work of many architects, who attempt to trigger a cognitive process of involvement, utilizing the tools of art to operate in a field already strongly influenced by the radical movements of the 1960s and 1970s.

The landscape is the scenario of architectural experimentation that challenges the dogmas of the discipline. The word *landscape*, at this point, must be replaced by the

GORDON MATTA-CLARK, fotograma de la película *Conical Intersect*, París, Francia, 1975.

GORDON MATTA-CLARK, from the film *Conical Intersect*, Paris, France, 1975.

GORDON MATTA-CLARK, *Splitting*, Englewood, Nueva Jersey, EE UU, 1974.

GORDON MATTA-CLARK, *Splitting*, Englewood, New Jersey, USA, 1974.

zos de madera y otros materiales de desecho– y, una vez terminada la exposición, declaró: "Lo que el arte tiene ahora en sus manos son materiales mutantes que no requieren llegar al extremo de acabarse en relación al tiempo o al espacio. La idea de que la obra consiste en un proceso irreversible que culmina en un objeto-icono estático ya no tiene demasiada relevancia".[9]
Esta declaración parece describir perfectamente la mayoría de las actitudes de los arquitectos contemporáneos. Diller & Scofidio, Philippe Rahm, Casagrande & Rintala generan procesos irreversibles, capaces de definir unos objetos que pueden transformarse y que están en constante evolución, donde el espacio habitado surge y se desarrolla en relación a un espacio mental de referencia. Otra declaración importante nos la ofrece

term *earthscape*, or a landscape no longer connected to the land and its natural component, but extended to all the places of the planet without distinction between natural territory (nature) and metropolitan territory (urbanized areas). Everything is earthscape, a new field of intervention. **Rem Koolhaas** was one of the first to emphasize the value of the term "scape" in his projects, making it autonomous. Koolhaas, in his study of the relationship among land/scape/architecture, finds the synthesis in some of his projects. In the Parc de la Villette in Paris, it is the program of redesigning the natural landscape. In the Educatorium in Utrecht it is the bending of continuous planes to find an interior-exterior continuity. The plane of the main landscape inclines and bends back, then inter-

ROBERT MORRIS,
***Observatory*, Jmuiden,**
Holanda, 1971.

ROBERT MORRIS,
***Observatory*, Jmuiden,**
The Netherlands, 1971.

Robert Smithson en su ensayo introductorio a la exposición *Earth-works*, cuando sostiene que estas obras tienen poco que ver con la visión común del paisaje y la naturaleza. Para Smithson, el desierto no es un lugar natural, sino más bien un concepto espacial, un lugar "que se traga todas las fronteras".[10] Los artistas reunidos en la exposición se ocupan en gran medida de la noción de lugar, puesto que buscan las relaciones escondidas que existen entre los observadores y los límites; entre el interior y el exterior, entre el centro y la periferia. Esta misma preocupación caracteriza en la actualidad el trabajo de muchos arquitectos, quienes se proponen generar mediante sus obras un proceso de conocimiento y de implicación, utilizando los instrumentos del arte para moverse dentro de un campo que ya había

sido muy recorrido por los movimientos radicales de los años sesenta y setenta.
El paisaje es el escenario de una experimentación arquitectónica que pone en crisis los dogmas de la propia disciplina. A partir de ahí, la palabra *landscape* debería sustituirse por *earthscape*, entendida como un paisaje que ya no está ligado a la tierra y a su componente natural, sino que se extiende hacia todos los lugares del planeta, sin distinción alguna entre el territorio natural (naturaleza) y el territorio metropolitano (zonas urbanizadas). Todo es *earthscape*: un nuevo campo de intervención.
Rem Koolhaas ha sido uno de los primeros en ampliar en sus proyectos el valor de la expresión scape, dándole autonomía. Al indagar la relación que existe entre *land*, *scape* y *architecture*, Koolhaas llega en algunos de sus proyectos a una síntesis. En el proyecto para el parque de La Villette, en París, el programa se encarga de rediseñar el paisaje natural. En el Educatorium de Utrecht, el pliegue de los planos continuos permite llegar a una continuidad entre interior y exterior. El plano del paisaje principal se inclina y se pliega sobre sí mismo para intersecarse después con otro plano, también plegado. Se trata de un cruce de superficies que se superponen de modo que permiten la fusión con el paisaje y una organización sistemática de las zonas funcionales superpuestas entre ellas. La idea de la continuidad de los distintos niveles, ya expresada en su proyecto no realizado de las bibliotecas de Jussieu, se desarrolla en el interior de este edificio como un auténtico lugar de intercambios sociales, donde las funciones educativas son tan sólo una excusa para permi-

secting with another bent plane. An intersection of surfaces that overlap in such a way as to permit a fusion with the landscape and a systematic organization of the superimposed functional areas. The idea of continuity of levels, already expressed in the unbuilt design for the library in Jussieu, is developed inside this building, a true place of social exchange, where the educational functions are an excuse to allow students and professors to live in an aggregating space capable of becoming landscape. The fact that glass encloses this building-plaza is purely coincidental. Koolhaas anticipates another important consideration on the idea of dialectical landscape as a process of revelation existing in a specific region, or a different way of looking at physical relations rather than isolated objects.
The work of artists like Smithson and De Maria made use of the land and nature to construct alternative landscapes, or more precisely windows on a landscape in slow transformation. Today architects use the idea of *surface* as a cognitive instrument, not only to open viewpoints but also to reconstruct a landscape by now almost completely forgotten or relegated to a supporting role in the redesign of a habitat. This operation of reconstruction is joined by the notions of movement and program to configure spaces in which to create a sort of territory to be colonized.
Architects seem to be pursuing a dream not of re-urbanization but of a remodeling of the territory achieved through interference between art and landscape. As Matta-Clark had grasped, art helps us first to reflect on architecture, and then contributes to giving

REM KOOLHAAS,
Centro de Convenciones,
Agadir, Marruecos, 1990.
REM KOOLHAAS,
Convention Center,
Agadir, Morocco, 1990.

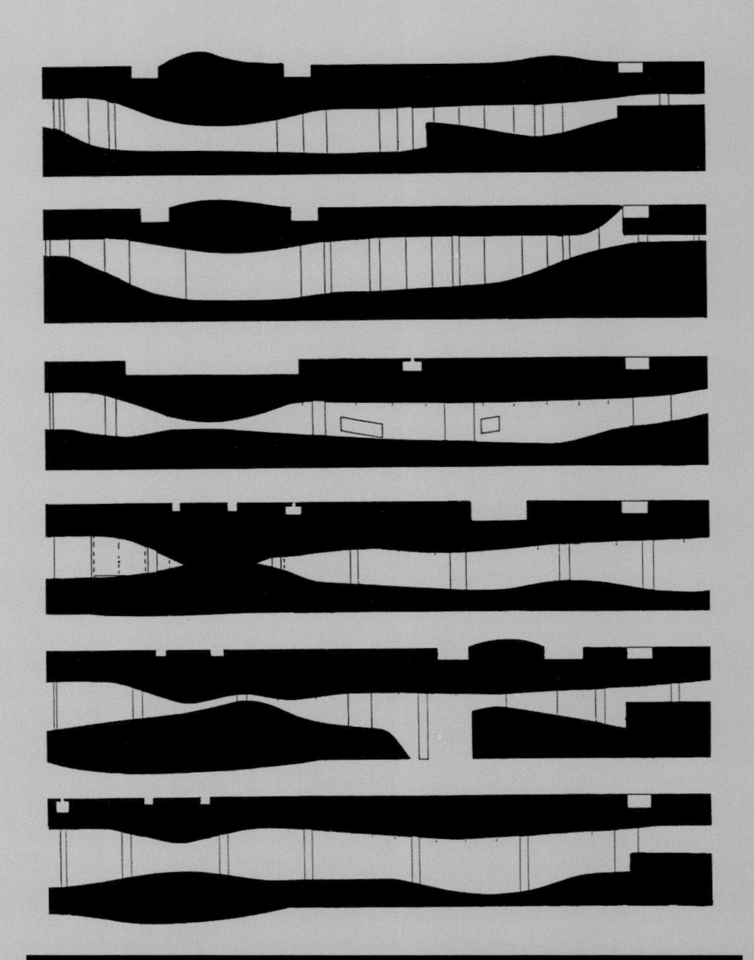

REM KOOLHAAS,
Educatorium, Utrecht,
Holanda, 1994-1997.
REM KOOLHAAS,
Educatorium, Utrecht,
The Netherlands, 1994-1997.

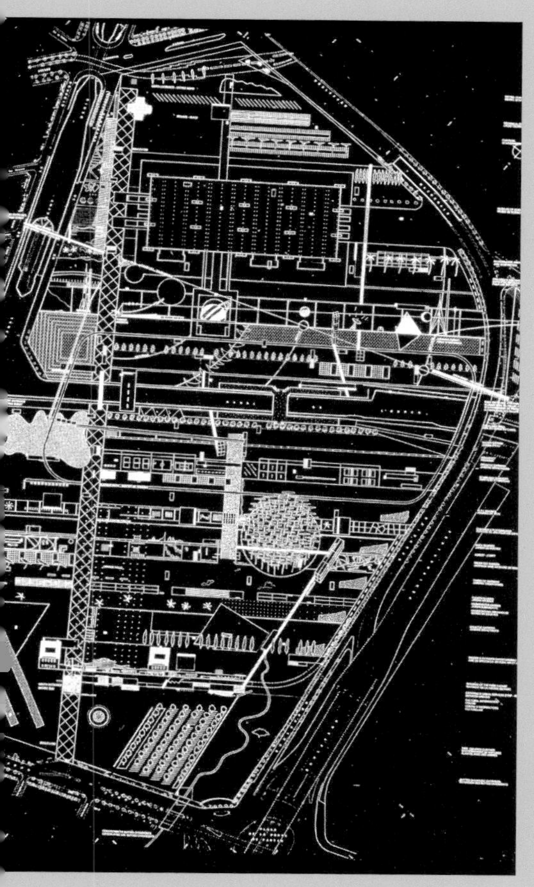

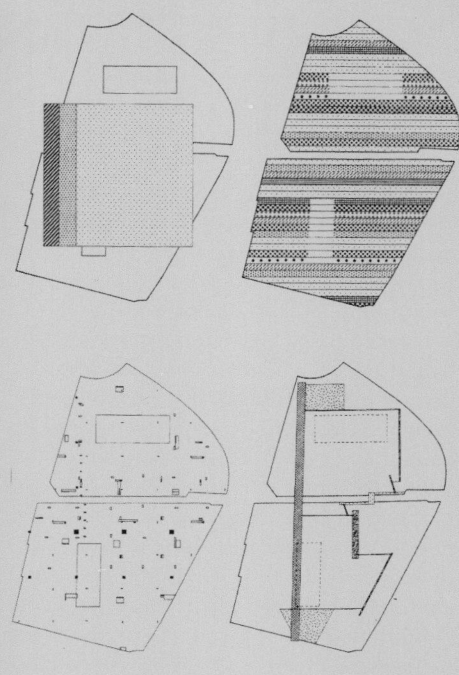

REM KOOLHAAS,
Parque de La Villette,
París, Francia, 1982.
REM KOOLHAAS,
La Villette Park, Paris,
France, 1982.

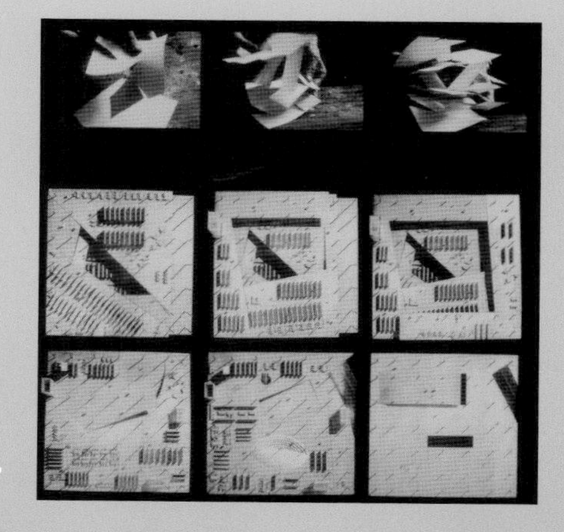

REM KOOLHAAS,
bibliotecas Jussieu,
París, Francia, 1993.
REM KOOLHAAS,
Jussieu Libraries, Paris,
France, 1993.

tir que los estudiantes y los profesores experimenten un espacio agregado capaz de constituir un paisaje. Las vidrieras encierran este edificio-plaza por pura casualidad. Koolhaas anticipa otra consideración importante: la idea de un paisaje dialéctico, entendido como proceso de revelación, existente en una región determinada, o mejor, una manera distinta de considerar las relaciones físicas como algo distinto a un conjunto de objetos aislados.
Artistas como Robert Smithson y Walter de Maria utilizaban la tierra y la naturaleza para construir paisajes alternativos o, más precisamente, ventanas sobre un paisaje en lenta transformación. En la actualidad, los arquitectos utilizan la idea de *superficie* como herramienta cognitiva, y no sólo para abrir nuevos puntos de vista, sino también para reconstruir un paisaje ya casi olvidado por completo, o relegado al papel primario en el rediseño de un hábitat. A esta operación de reconstrucción se añaden las nociones de movimiento y programa, con el fin de configurar espacios donde sea posible crear una especie de territorio a colonizar. Parece como si los arquitectos no persiguieran el sueño de una reurbanización, sino el de una remodelación del territorio que debe conseguirse mediante la interferencia entre el arte y el paisaje. Tal como había intuido Matta-Clark, el arte nos ayuda a reflexionar sobre la arquitectura y luego contribuye a darle una forma nueva. Ya no se utilizan solamente elementos naturales, sino también el espacio que los rodea, e incluso los mismos agentes atmosféricos. Resulta difícil establecer algún tipo de distinción entre el Jardín Helado de Cracovia de Michael van

it a new form. Use is no longer made of natural elements alone, but also of the space surrounding them and the substances in the atmosphere. It is difficult to make any kind of distinction between the Krakow Ice/Vine Garden by Michael Van Valkenburgh and the Swamp Garden by Adriaan Geuze (West 8), between the cuts and holes made by Gordon Matta-Clark in certain buildings and the elegant transparent joints that allow light to pass in the Light Lattice House by Shoei Yoh, all the way to the total absence of vertical partitions in the work by Shigeru Ban, Curtain-wall House, where the only boundary between inside and outside is represented by a simple curtain.
For Décosterd & Rahm architecture is a physical state capable of putting the body into relation with the natural environment. The two Swiss architects say: "We put architecture on the lowest rung of the world, in matter and gravity, below climate variations and the passage of time, involved in physical, chemical, biological and electromagnetic relations with the environment and our body." [11]
For them, space is not a void, "but defined like a certain amount of chemically constituted air, in which we are physiologically immersed, by respiration and perspiration as much as materials by oxidization." [12] This is why their projects are hard to categorize, precisely because the field of action is not the traditional one of architecture, but trespasses into the realm of art. Each project works as a complex system, identifying the components, programming exchanges and making transformations possible. The transformations generate spaces in which it is possible to live, entering into a direct relat-

DÉCOSTERD & RAHM,
Jardines fisiológicos,
La Neuville, Suiza, 2000.

DÉCOSTERD & RAHM,
Physiological Gardens,
La Neuville, Switzerland,
2000.

Valkenburgh, y el Jardín Ciénaga de Adriaan Geuze (West 8), o entre los cortes y los agujeros practicados por Gordon Matta-Clark en algunos de sus edificios y las elegantes juntas transparentes que dejan pasar la luz en la Casa con Malla de Luz de Shoei Yoh. En la Casa Muro-Cortina, Shigeru Ban logra una ausencia total de particiones verticales, de modo que el único límite existente entre el interior y el exterior queda representado por un simple toldo.

Para **Décosterd & Rahm**, la arquitectura es un hecho físico capaz de relacionar el cuerpo con la realidad del ambiente natural. Los dos arquitectos suizos afirman: "Colocamos la arquitectura en el peldaño más inferior del mundo por lo que se refiere a su contenido e importancia, por debajo de las variaciones climáticas y del paso del

tiempo, manteniendo unas relaciones físicas, químicas, biológicas y electromagnéticas con su entorno y con nuestro cuerpo".[11] Para ellos, el espacio no es el vacío, "sino que queda definido por cierta cantidad de aire químicamente constituido, donde nos encontramos inmersos fisiológicamente a través de la respiración y de la transpiración, como los materiales lo están por medio de la oxidación".[12] Por este motivo sus proyectos resultan difíciles de clasificar, precisamente porque su campo de acción no es el tradicional de la arquitectura, sino que invade el terreno del arte. Cada proyecto opera como un sistema complejo, identifica componentes, programa cambios que hagan posible transformaciones, que generan espacios donde es posible vivir, entrando en relación directa con aquellos elementos fundamentales para nuestra supervivencia. Los espacios que proyectan son "entradas vivientes en el mundo físico, un deseo de comprender la construcción de formas y de climas en consonancia con las variables cuantificables del mundo concreto".[13]
En el pabellón de deportes de Neuchâtel (Suiza, 1998, con Xenia Riva), la arquitectura se presenta como una reformulación química y biológica del territorio llevada a cabo por medio de la transpiración, la fotosíntesis, la combustión y la respiración, donde el hombre ocupa una posición fisiológica. Se genera calor mediante un sistema calefactor de convección solar utilizando tierra excavada debido a su capacidad para la acumulación y la inercia térmica. Luego el calor se introduce en el interior del palacio mediante una renovación controlada de aire. El calor y el oxígeno son absorbidos por los de-

ionship with the fundamental elements for our survival. The spaces they design "are living entries into the physical world, a desire to understand the construction of forms and climates in accordance with the quantifiability of the concrete world." [13]
In their sports complex in Neuchâtel (Switzerland, 1998, with Xenia Riva) architecture is presented as a chemical and biological reformulation of the territory, made up of transpiration and perspiration and photosynthesis, combustion and respiration, in which man has a physiological place. Heat is produced by a solar convection heating system using excavated earth for its capacity of thermal accumulation and inertia. This heat is then driven into the hall by the turnover of controlled air. The heat and the oxygen are absorbed by the players, who, in return, supply carbon dioxide as well as steam lost by the body during the transformation into kinetic energy of the chemical energy of the simple substances assimilated during digestion. The air thus polluted shifts towards the side windows where it condenses. The plants between the glass panes absorb the carbon dioxide of the air as well as the condensation of the perspiration of the players and their mineral salts. This chlorophyll photosynthesis permits the transformation of solar energy into nutrient substances as well as the production of oxygen necessary to bum up the foodstuffs which the players need to release energy.

portistas, quienes a su vez suministran dióxido de carbono; y el vapor que desprenden sus cuerpos durante la transformación de la energía química de las sustancias asimiladas durante la digestión en energía cinética. El aire contaminado resultante se dirige hacia las ventanas laterales, donde se condensa. Las plantas colocadas entre los paneles de cristal absorben el dióxido de carbono del aire, así como la condensación del sudor de los deportistas y sus sales minerales. La fotosíntesis clorofílica favorece la transformación de la energía solar en sustancias nutritivas, como también la producción del oxígeno necesario para obtener, a cambio de nada, los alimentos que los deportistas necesitan para liberar energía.

DÉCOSTERD & RAHM, pabellón de deportes, Neuchâtel, Suiza,1998.

DÉCOSTERD & RAHM, sports complex, Neuchâtel, Switzerland, 1998.

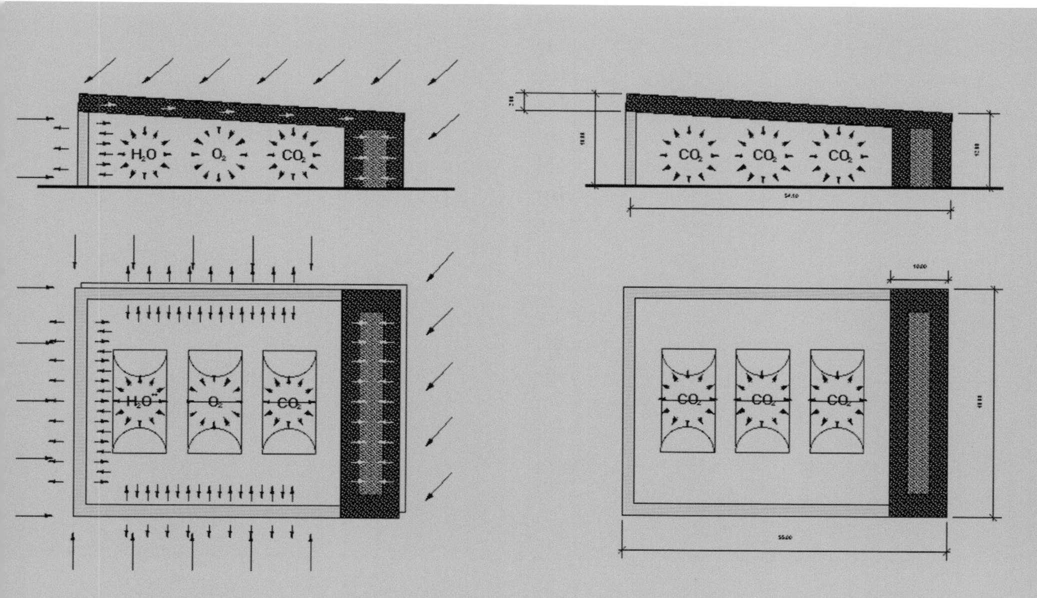

Shoei Yoh

Casa con Malla de Luz,
Nagasaki, Japón, 1980
Light Lattice House,
Nagasaki, Japan, 1980

Shoei Yoh traduce en términos de arquitectura el arte de Matta-Clark cortando una casa con una parrilla transparente, la única conexión visual con el exterior. Las juntas que quedan entre los paneles del revestimiento son de vidrio y dejan pasar la luz.
"El intrincado juego de la malla de luz variable domina el interior y a sus habitantes en la medida en que el tiempo se convierte en físicamente mensurable".[14] No hay ventanas, sino únicamente unas juntas de continuidad entre la arquitectura y el paisaje circundante.

Shoei Yoh translates the art of Matta-Clark into architecture, cutting a house in keeping with a transparent grid, "the only visual connection to the exterior." The joints between the facing panels are in glass and allow light to enter.
"The intricate play of the moving light grid dominates the interior and its inhabitants as time becomes physically measurable." [14]
There are no windows but only joints of continuity between the architecture and the surrounding landscape.

Rachel Whiteread

Casa, Londres, 1993

House, London, 1993

Si Matta-Clark cortaba el cuerpo de la arquitectura con el fin de mostrar el espacio interior, Whiteread opera a la inversa, creando un molde de dicho espacio y mostrándolo desde otro punto de vista. Por vez primera, el vacío adquiere un valor inusitado, convirtiéndose en un bloque único cuyas dimensiones se hacen evidentes de un modo improvisado.

While Gordon Matta-Clark cuts the body of architecture to show us its internal space, Whiteread proceeds inversely, creating a casting of this space displayed from another point of view. The void takes on an unusual value for the first time, becoming a single block whose size is suddenly evident.

Jean Gilles Décosterd & Philippe Rahm

Expo.01 - Diseño de la Arteplage de Neuchâtel, Suiza, 1998-1999 (con Michel Desvignes y Yann Kersalé)

Expo.01 - Design of the Neuchâtel Arteplage, Switzerland, 1998-1999 (with Michel Desvignes and Yann Kersalé)

Décosterd & Rahm entienden la tensión existente entre naturaleza y artificio como la medida de la cantidad de energía empleada en la modificación de las principales condiciones físicas, químicas y biológicas. Su arquitectura se sitúa en un nivel primario de comprensión del mundo, más allá de las formas culturales y simbólicas. La Arteplage se organiza en torno a una

Décosterd & Rahm see the tension between nature and artifice as the gauge of the amount of energy spent to modify prior physical, chemical and biological conditions. Their architecture is set at this initial level of understanding of the world, prior to cultural and symbolic forms. The Arteplage is organized around a luminous progression from the visible to the invisible. With a white

progresión luminosa que parte de lo visible para llegar a lo invisible. Por medio de la luz blanca empobrecen el espectro luminoso, librándose gradualmente de las longitudes de onda más cortas hasta alcanzar una luz púrpura monocromática. Luego trabajan en la invisibilidad, hasta el nivel de los rayos UV-C, y los unen con los infrarrojos. Dentro de esta invisibilidad, establecen una relación fisiológica intrínseca entre el cuerpo y el espacio, una relación médica donde se forman la vitamina D, enzimas y estimulaciones de fermentos, junto a una dilatación de los vasos sanguíneos que da lugar a una movilización de antigenes. Unas luces ultravioleta germicidas desinfectan y purifican el aire. El espacio, que parecía estar vacío, se presenta como un entorno invisible, aunque físico, que resulta curativo y nocivo a un mismo tiempo.

light they impoverish the light spectrum by gradually getting rid of the shortest wavelengths, as far as a monochromatic purple light. They proceed into the invisible, as far as UV-Cs, and join up with infrared rays. In the invisible, an inner physiological relationship is set up between body and space, a medical relationship where vitamin D, enzyme and ferment stimulations are formed, with a dilation of the blood vessels giving rise to a mobilization of antigens. Ultraviolet germicidal lights disinfect and purify the air. The space that was thought to be empty is presented as an invisible but physical environment, at once curative and harmful.

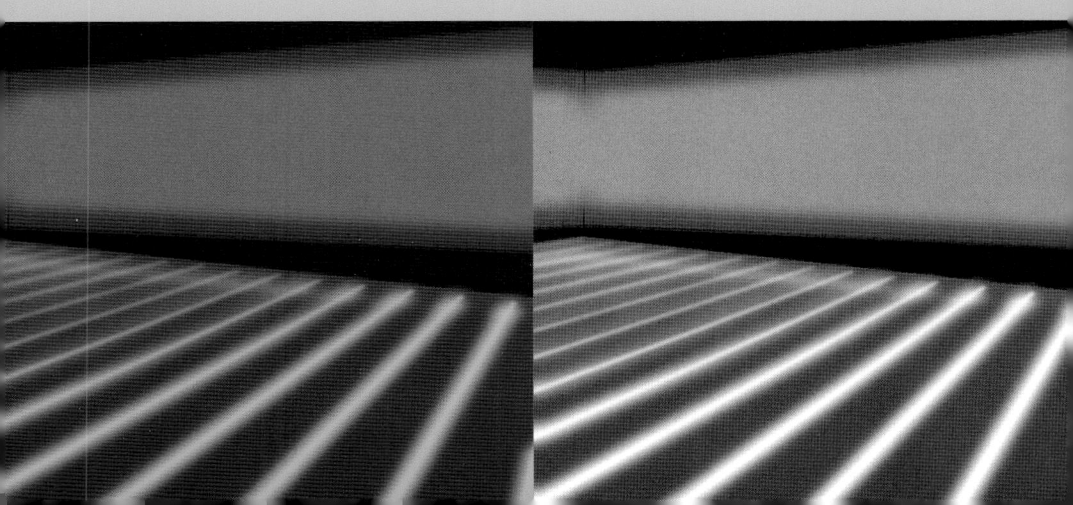

Jean Gilles Décosterd & Philippe Rahm

Residencias nómadas para artistas (con Gilles Clément y Michel Aubry), Francia, 1998

Nomad housing for artists (with Gilles Clément and Michel Aubry), France, 1998

Entre el abrigo de piel que nos ponemos y el trozo de carne que comemos, el hábitat está compuesto de piel de vaca, cortada con cuchillo, limpiada como es debido de restos de carne, curada inmediatamente con sal y doblada, hasta quedar sometida a una especie de estructura autotensionada. La parte peluda es la más interior, formando y aislando un espesor climático entre la fibra de la piel y el lino del acabado interior. La carne está en la parte más exterior. La piel se encuentra constantemente en un estado de equilibrio precario entre lo que puede pudrirse y lo que no. La sal, contra la cual ha luchado la gente de este litoral con el fin de introducir cultivos, se ha convertido ahora en una aliada para la conservación del espacio habitado, bajo la forma de curtidos temporales. De

Between the leather coat we wear and the piece of meat we eat, the habitat is made of cowhides, removed by knives, duly cleaned of flesh, immediately salted and folded, until they are laid over a self-tensing kind of structure. The furry side is innermost, forming an insulating climatic thickness between the grain of the leather and the flax of the interior finish. The flesh is outermost. The hides are constantly in a precarious state of equilibrium between what is liable to become putrid and what is not. Salt, against which people have fought on these seashores when introducing farming, now becomes an ally in the maintenance of the inhabitable space in the form of temporary tanning. What is revealed here is the ceaseless energy exchange between man and his environment

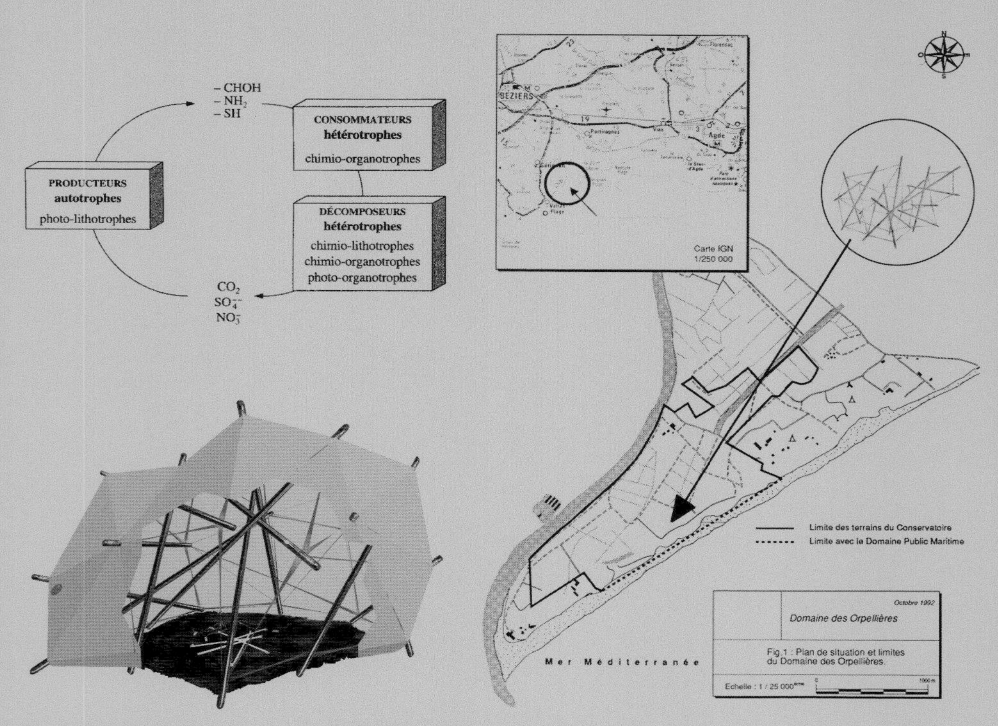

PEAU INTERIEURE EN LIN DE L'HABITAT NOMADE

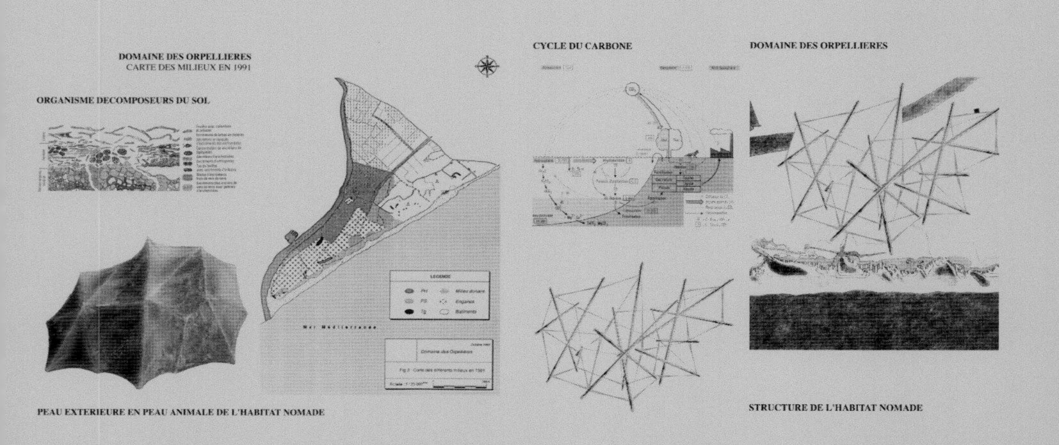

PEAU EXTERIEURE EN PEAU ANIMALE DE L'HABITAT NOMADE

STRUCTURE DE L'HABITAT NOMADE

ese modo se revela, a través de la alimentación, el intercambio incesante de energía que se produce entre el hombre y su entorno mediante la arquitectura, el parasitismo y la simbiosis. El hábitat o la vivienda se emplazan en campos de salicor, al igual que un eslabón del ciclo del carbón, y ajustan los vientos salinos mediante una demanda frecuente de inclusión adicional de sal. De ese modo se convierte en un posible factor nutritivo para la fauna silvestre y los microorganismos, los cuales se abalanzan sobre ellos tan pronto como los habitantes los abandonan.[15]

through architecture as parasitism and symbiosis. The habitat or dwelling is sheathed in fields of marsh-samphire, like a link in the carbon cycle, accommodating the salty winds by frequently requiring an additional input of salt. As such, it remains a possible nutritive factor for wildlife and microorganisms, which pounce on it as soon as the inhabitant goes away.[15]

Jean Gilles Décosterd & Philippe Rahm

Jardines fisiológicos
La Neuveville, Suiza, 2000
(concurso con Jérôme Jacqmin)
Physiological Gardens
La Neuveville, Switzerland
(competition 2000 with
Jérôme Jacqmin)

Los jardines de Jean-Gilles Décosterd y Philippe Rahm operan en el campo de los sentidos, aunque lo hacen con conocimiento de los mecanismos químicos y medicinales que conectan el organismo y las sustancias activas de las plantas. Consideran el jardín como un lugar donde el cuerpo se zambulle en el cuerpo de la naturaleza, hasta el extremo de que su metabolismo se altera y la química del organismo se transforma, dando lugar a interacciones fisiológicas entre la planta y el cuerpo, desde la boca hasta el estómago, y desde la piel hasta la sangre, desde la nariz hasta el cerebro. El primer jardín contrapone la epidermis al limbo: un itinerario entre la suavidad de las semillas de sauce y la del acanto del Cáucaso, donde se producen reacciones fototóxicas en au-

The gardens of Jean-Gilles Décosterd & Philippe Rahm deal with the senses, but with knowledge of the chemical and medicinal mechanisms between the organism and the active substances of plants. They see the garden as a place where the body is plunged into the body of nature, to a point where the metabolism is altered, and the chemistry of the organism is changed, giving rise to physiological interactions between plant and body, from the mouth to the stomach, from the skin to the blood, and from the nose to the brain. First garden: epidermis versus limbo, an itinerary among the softness of willow seeds to the Berce du Caucase involves on-going phototoxic reactions. Second garden: from scents of roses that you inhale to Ambrosia and the risks of allergy it entails.

mento. El segundo jardín contrapone el aroma de las rosas que inhalamos a la ambrosía, con el riesgo de alergias que ésta conlleva. En el tercer jardín comemos primero el azúcar de las fresas de un modo placentero, y luego dejamos el sabor en la belladona que provoca taquicardia y retención de orina. El cuarto y último itinerario, que es ya casi físico, transcurre entre plantas sedantes tales como la verbena o la cicuta gigante, que provocan insuficiencia respiratoria y asfixia.[16]

Third garden: eat, pleasurably at first, the sugar of strawberries, then lose the flavor to belladonna, which causes tachycardia and urine retention. Fourth and last itinerary, which is almost psychic, between soothing plants such as verbena and giant hemlock, which causes cessation of breathing and asphyxia." [16]

[1] BEARDSLEY, JOHN, *Earthworks and Beyond. Contemporary Art in the Landscape*, Abbeville Press, Nueva York/Londres/París, 1998.
[2] PANZA DI BIUMO, GIUSEPPE, introducción al libro: *James Turrell*, Motta Editore, Milán, 1998.
[3] PANZA DI BIUMO, Giuseppe, *op. cit.*
[4] Entrevista de Guia Sanbonet con James Turrell, en *James Turrell, op. cit.*
[5] SCHULZ-DORNBURG, JULIA, *Arte y Arquitectura: nuevas afinidades*, Editorial Gustavo Gili, Barcelona, 2000.
[6] LEE, PAMELA M., *Object to Be Destroyed, op. cit.*
[7] BEAR, LIZA, "Gordon Matta-Clark... *Spliting*" (entrevista, 1974), en *Gordon Matta-Clark, op. cit.*
[8] Alice Aycock entrevistada por Joan Simons; citado en LEE, PAMELA M., *Object to Be Destroyed, op. cit.*
[9] MORRIS, ROBERT, "Notes on Sculpture 4: Beyond Objects", en *Artforum*, abril de 1969.
[10] SMITHSON, ROBERT, "A Sedimentation of the Mind: Earth Projects", en *Artforum*, septiembre de 1968; también en FLAM, JACK (ed.), *Robert Smithson: The Collected Writings*, University of California Press, Berkeley/Los Ángeles/Londres, 1996; (versión castellana: "Una sedimentación de la mente: proyectos de tierra", en *Robert Smithson* (catálogo de la exposición homónima), IVAM, Valencia, 1993).
[11] DÉCOSTERD & RAHM, de la memoria del proyecto.
[12] *Ibíd.*
[13] *Ibíd.*
[14] SCHULZ-DORNBURG, JULIA, *Arte y Arquitectura, op. cit.*
[15] DÉCOSTERD & RAHM, de la memoria del proyecto.
[16] DÉCOSTERD & RAHM, de la memoria del proyecto.

[1] BEARDSLEY, JOHN, *Earthworks and Beyond*, Abbeville Press, New York/London/Paris, 1998.
[2] PANZA DI BIUMO, Giuseppe, introduction to *James Turrell*, Motta Editore, Milan, 1998.
[3] *Ibid.*
[4] SAMBONET, GUIA, "Interview with Turrell", in *James Turrell, op. cit.*
[5] SCHULZ-DORNBURG, JULIA, *Art and Architecture. New Affinities*, Editorial Gustavo Gili, Barcelona, 2000.
[6] LEE, PAMELA M., *Object to Be Destroyed, op. cit.*
[7] BEAR, LIZA, "Gordon Matta-Clark... Splitting" (interview 1974), in *Gordon Matta-Clark, op. cit.*
[8] Alice Aycock interviewed by Joan Simon. Quoted in LEE, PAMELA M., *op. cit.*
[9] MORRIS, ROBERT, "Notes on Sculpture 4: Beyond Objects", *Artforum*, New York, April 1969.
[10] SMITHSON, ROBERT, "A Sedimentation of the Mind: Earth Projects", *Artforum*, September 1968. See also: FLAM, JACK (ed.), *Robert Smithson: The Collected Writings*, University of California Press, Berkeley/Los Angeles/London, 1996.
[11] DÉCOSTERD & RAHM, project description.
[12] *Ibid.*
[13] *Ibid.*
[14] SCHULZ-DORNBURG, JULIA, *op. cit.*
[15] DÉCOSTERD & RAHM, project description.
[16] DÉCOSTERD & RAHM, project description.

"Me da la impresión de que hoy es posible pensar la arquitectura como un cuerpo dividido en dos: una parte adormecida y a la espera y otra que ha escogido como base su pertenencia a los flujos culturales predominantes que, por su propia naturaleza, encuentran su validez en la necesidad del cambio. Es reconocido que el flujo del arte es el único que puede cambiar para existir. La cultura arquitectónica ha elegido apoyarse en este flujo y perder el resto.
Es sencillo: si la sustancia prevalente del pensar arquitectura tiene matriz figurativa, esta última forma parte de la práctica artística que tiene el derecho de paralizar la profecía [...].
El arte no es resultado del *proyecto*, es un impulso que fuerza varias fuerzas para que vea la luz una realidad inédita.
La arquitectura es hija del *proyecto*. Este acercamiento al arte es el reflejo de razones que en esta fase han empujado a la idea de proyecto para hacer prevaler la práctica de manipulación de algunos sectores no predominantes en el proceso de cambio (por ejemplo, la globalización en curso) que están llevando a cabo la ciencia y la psique humana [...].
Las profecías son proyecciones de certezas. Es cierto: la sustancia compuesta que fuerza al arte a explicarse contiene, y puede contener, porciones de profecía. Quizá quede mal expresado. El artista que mira en el interior de la materia y del tiempo tiene una vista muy aguda; ve antes. Pero la sustancia para explicar la arquitectura es distinta. Victor Hugo decía que la arquitectura era el arte madre. Quizá intrínsecamente la arquitectura es más sí misma siendo sólo MADRE".

LUIGI PELLEGRIN, *L'architettura cronaca e storia*, 541, 2001, págs. 188-189.

"I get the impression that architecture can now be thought of as a corpus split in two, one part drowsily awaiting and the other choosing to ground itself on belonging to the prevailing cultural flows. By their very nature, cultural flows find their validity in the need for change. As is well known, the only flow that can change in order to exist is the flow of art. Architectural culture has chosen to base itself on this flow and to give up on the rest.
It is simple. If the predominant substance of architectural thought is of a figurative matrix, then the latter forms part of artistic praxis, which has the right to stop prophecy in its tracks [...]. Art is not the outcome of *planning*. It is an impulse that forces various forces to give birth to an unprecedented reality.
Architecture is the offspring of *planning*. This proximity to art is the reflection of rationales that have driven the idea of planning in this phase so as to privilege the praxis of manipulating certain mutating, non-predominant sectors (e. g. ongoing globalization) that are now being realized by science and the human psyche [...].
Prophecies are projections of certainties. This is a fact: the composite substance that forces art to explain itself contains, or may contain, elements of prophecy. Perhaps this is expressed badly. The artist who looks deeply into matter or into time has a more acute vision; he sees before others do. But the substance for explaining architecture is something different. Victor Hugo said that architecture was the mother art. Perhaps architecture is more intrinsically itself in being just MOTHER."

LUIGI PELLEGRIN, *L'architettura cronaca e storia*, 541, 2001, pp. 188-189.

Redefinir el espacio del territorio
Redefining the space of the territory

En su ensayo "1837- Del Ritornelo", Gilles Deleuze y Félix Guattari[1] definen los conceptos de medio y ritmo. Según ellos, la noción de medio no es unitaria. En realidad, el ser vivo pasa de un medio a otro, ya sea exterior, interior o intermedio: "Cada medio es vibratorio, es decir, un bloque de espacio-tiempo definido por una componente [...]. Cada medio está codificado. Están contenidos en el caos del mundo, que los contiene a todos".[2] Por el contrario, el ritmo no es más que la ligazón entre dos medios, la coordinación de espacio-tiempo heterogéneo, común a cada uno de ellos. Los arquitectos codifican los medios, o mejor, se proponen aislarlos, relacionarlos entre sí con el fin de crear espacios distintos. Delimitar estos espacios, evidenciarlos, relacionarlos entre sí: todo ello adquiere

In their essay "1837: Of the Refrain" Gilles Deleuze and Félix Guattari[1] define the concepts of *milieus* and *rhythms*. In their view the notion of milieu is not unitary, living beings pass from one milieu to another: outdoor milieu, indoor milieu and intermediate milieu. "Every milieu is vibratory, in other words, a block of space-time constituted by the periodic repetition of the component. [...] Every milieu is coded, a code being defined by periodic repetition, and contained in the chaos of the world that contains all of them." [2] Rhythm, on the other hand, is simply the link between one milieu and another, the co-ordination of heterogeneous space-times shared by single milieus. Architects encode milieus or attempt to isolate them, to place them in relation with each other, to create different spaces.

un significado especial a la luz de las experiencias codificadas a lo largo de la historia de la arquitectura. Definir si un espacio es funcional o no constituye siempre un acto creativo capaz de lograr que sean compatibles el medio y el hombre. Es una operación capaz de ejercer una influencia sobre la vida de las personas que los atraviesan. Estos espacios intervienen en la transformación de un territorio.
Para Deleuze y Guattari, el territorio "no es un medio, ni siquiera un medio suplementario, ni un ritmo o paso entre medios. De hecho, el territorio es un acto que afecta a los medios y a los ritmos, que los 'territorializa".[3]
Esta definición del territorio como acción de territorialización puede parecerse a la noción de intervención en el paisaje en tanto que formación de espacios arquitectónicos mediante el arte. Cuando un arquitecto o un artista intervienen en la modificación de los ritmos y los medios del paisaje, es decir, cuando intervienen en el proyecto de un espacio, sea o no natural, y cuando se proponen evidenciar o anular los límites entre el exterior y el interior, no hacen más que intentar territorializar un lugar determinado. Dichas intervenciones pretenden poner en evidencia una serie de relaciones. Precisamente, "hay territorio desde el momento en que las componentes de los medios dejan de ser direccionales para devenir dimensionales, cuando dejan de ser funcionales para devenir expresivos".[4]
¿Qué puede significar "dejar de ser direccional y funcional y devenir expresivo", sino buscar un diálogo estrecho con los usuarios, es decir, intentar comunicar unos valores

Defining, indicating and relating these spaces takes on a particular meaning in the light of the experiences encoded in the history of architecture. To define a space, albeit functional or not, is always a creative act capable of making milieu and man compatible. An operation capable of influencing the life of the persons who pass through it. These spaces take part in the modification of the territory.
For Deleuze and Guattari the territory, "which is not a milieu, not even an additional milieu, nor a rhythm or passage between milieus. The territory is in fact an act that affects milieus and rhythms, that 'territorializes' them."[3]
This definition of territory as an act of territorialization can be compared to the notion of intervention in the landscape as the formation of the spaces of architecture through art. When an architect or an artist intervenes to modify the rhythms and milieus of the landscape, intervening in the design of a natural or non-natural space, and when he attempts to underline or annul the borders between exterior and interior, he is simply attempting to territorialize a given place. These interventions try to shed light on a series of relations. "There is a territory precisely when milieu components cease to be functional to become expressive."[4]
What does it mean to cease being directional and functional in order to become expressive, if not the pursuit of a close dialogue with users, the attempt to communicate values beyond the definition of limits and membranes that separate spaces? The territory takes something from all the milieus, overflows into them, incor-

que van más allá de la definición de los límites o de las membranas que separan los ambientes? En realidad, el territorio toma una cosa u otra de cada ambiente, penetra en ellos, los incorpora, de modo que él mismo se convierte en un espacio capaz de constituir un ambiente exterior, interior o intermedio.
La obra así creada se diferencia de la arquitectura entendida como una caja y se convierte en un instrumento evocativo. Un lugar concebido de ese modo "no es un objeto, no es una imagen, es un espacio, algo que no se ve, ni se toca, ni se siente, es algo donde se está [...]. Es el modelo de una experiencia".[5]
Así, la arquitectura se transforma en algo abierto, en un espacio reconocible a través del ambiente, definido e infinito al mismo tiempo. Es un espacio evocativo y funcional capaz, en definitiva, de transformar y de entrar en relación con las acciones que contiene. Un espacio generado de ese modo es un objeto expresivo. El ejemplo que mejor define lo que significa la expresividad de un espacio se encuentra, una vez más, en el ensayo de Deleuze y Guattari: "Veamos un ejemplo como el del color de los pájaros o de los peces: el color es un estado de membrana [...] (del mismo modo que en la arquitectura puede ser el lenguaje utilizado para encerrar o definir un espacio) que remite a estados internos hormonales; pero el color sigue siendo funcional y transitorio mientras está unido a un tipo de acción (sexualidad, agresividad, huida). Por el contrario, deviene expresivo cuando adquiere una constancia temporal y un alcance espacial que lo convierten en una marca territorial, o más bien territorializante: una firma".[6]

porates them, itself becoming a space capable of being an external, internal or intermediate milieu.
The work thus created is different from architecture seen as a box. It becomes an evocative instrument. A place conceived in this way "is not an object, not an image, it is a space, a thing you do not see, touch, feel, but a thing in which you are, [...] this thing is the model of an experience."[5]
Architecture is thus transformed into something open, a space that is recognized through the milieu, definite and infinite at the same time. An evocative and functional space, capable in short of transforming and entering into relation with the actions it contains. Space thus generated is an expressive object. The example that best represents the meaning of expression for a space is also found in the essay by Deleuze and Guattari: "Take the example of color in birds or fish: color is a membrane state associated with interior hormonal states, but it remains functional and transitory as long as it is tied to a type of action (sexuality, aggressiveness, flight). It becomes expressive, on the other hand, when it acquires a temporal constancy and a spatial range that make it a territorial, or rather territorializing, mark: a signature."[6]
Nancy Holt territorializes the desert in her works, attempting to measure the void of the landscape by means of light and time, "the emergence of a new conception of time, which is no longer exclusively the time of classical chronological succession, but now a time of exposure of the duration of events at the speed of light."[7] She places her *Sun Tunnels* in the middle of the desert

NANCY HOLT,
***Sun Tunnels*, Great Bassin Desert, Utah, EE UU, 1973-1976.**

NANCY HOLT,
***Sun Tunnels*, Great Bassin Desert, Utah, USA, 1973-1976.**

Nancy Holt territorializa el desierto con sus obras. Se propone medir el vacío del paisaje mediante la luz y el tiempo: "La emergencia de una nueva concepción del tiempo, que deja de ser exclusivamente la sucesión cronológica clásica, y pasa a ser el tiempo de exposición de la duración de los acontecimientos a la velocidad de la luz".[7] Emplaza sus *Sun Tunnels* en medio del desierto de Utah, en un paisaje sin contaminar, con el fin de demostrar de qué modo el tiempo no es una abstracción matemática o un concepto mental, sino una presencia física real. "Formar parte de este paisaje y andar por una tierra por la que jamás se había andado antes, evoca la sensación de encontrarse en este planeta, dando vueltas alrededor del espacio y del tiempo universal".[8]
Sun Tunnels es una obra capaz de señalar y

in Utah, in an uncontaminated landscape, to demonstrate that time is not a mathematical abstraction or a mental concept, but a real physical presence. "Being part of that landscape and walking on earth that has never been walked on before evokes a sense of being on this planet, rotating in space, in universal time."[8]
Sun Tunnels is a work capable of indicating and measuring the temporal cycle of a solar year. The sculpture is composed of four concrete pipes arranged in an X and aligned with the angle of the sun's rise and fall in the days of the summer and winter solstices. On these days the sun is perfectly aligned with the center of the tunnels, and in the summer this alignment remains for several days. Holes with variable diameters, in keeping with the magnitude of the stars they rep-

resent, have been made in the surface of each pipe. Each series of holes represents a different constellation. The sunlight produces different effects at different hours of the day, projecting figures that constantly change on the inner walls of the cylinders. The artist says: "I wanted to bring the vast space of the desert back down to human space. I had no desire to make a megalithic monument. The panoramic view of the landscape is too overwhelming to take in without visual reference points… When you stand at the center of the work, the tunnels draw your vision into the landscape, opening up the perceived space. But once you're in one of the tunnels, the work encloses and surrounds you, and the landscape is framed through the end of the tunnels and through the star holes."[9]

de medir el ciclo temporal de un año solar. La escultura está formada por cuatro tubos de cemento colocados en X y alineados con el ángulo con el que el sol sale y se pone en los días del solsticio de verano y de invierno. A lo largo de estos dos días, el sol queda perfectamente en línea con el centro de los túneles, y durante el verano dicha alineación se mantiene durante algunos días. En la superficie de cada tubo se han practicado unos agujeros de distinto diámetro, en función de la magnitud de las estrellas que representan. En realidad, cada serie de agujeros representa una constelación. Durante las distintas horas del día, el sol produce efectos distintos, mientras la luz proyecta unas figuras siempre cambiantes en la parte interior de los cilindros.
Nancy Holt afirma: “Quise devolver al espacio humano el vasto espacio del desierto. De ningún modo deseaba realizar un monumento megalítico. La visión panorámica del paisaje resulta demasiado abrumadora como para poder captarla sin unos puntos visuales de referencia [...]. Cuando nos encontramos en el centro de la obra, los túneles arrastran nuestra mirada hasta el paisaje, abriendo el espacio que percibimos. Pero cuando nos encontramos dentro de uno de los túneles, la obra nos encierra y nos envuelve, y el paisaje queda enmarcado al final del túnel y a través de los agujeros”. [9]
Estar dentro y fuera de la obra implica un movimiento, implica la participación de un público que, aunque quizá ya conoce el valle y lo ha habitado durante mucho tiempo, nunca se ha detenido a observar el transcurso del tiempo, o ni siquiera las variaciones de luz sobre la arena. El arte reve-

Being inside and outside the work implies a movement, a participation of the audience, who perhaps are also familiar with the valley, having lived there for many years, but have never stopped to observe the passage of time or the variations of light on the sand. The artwork reveals the landscape and becomes part of it, the color and the material with which the tunnels are made belong to the earth, with its tone and consistency. This work reinvents the use of a site, revealing its hidden characteristics.
“So by putting *Sun Tunnels* in the middle of the desert [...] the work paradoxically makes available, or focuses on, a part of the environment.” [10]
In 1979 Rosalind Krauss, in her essay “Sculpture in the Expanded Field”, wrote: “Even though sculpture may be reduced to what is in the Klein group the neuter term of the not-landscape plus the not-architecture, there is no reason to imagine an opposite term –one that would be both landscape and architecture– which within this schema is called the complex. But to think the complex is to admit into the realm of art two terms that had formerly been prohibited from it: landscape and architecture —terms that could function to define the sculptural (as they had begun to do in Modernism) only in their negative or neuter condition. Because it was ideologically prohibited, the complex had remained excluded from what might be called the closure of post-Renaissance art. Our culture had not before been able to think the complex, although other cultures have thought this term with great ease. Labyrinths and mazes are both land-landscape and architec-

la el paisaje y se convierte en parte del mismo. Los colores y los materiales con que se han fabricado los túneles pertenecen a la tierra, poseen su mismo color y su misma consistencia. La obra reinventa el uso de un emplazamiento, revelando sus características ocultas.
"Así, al colocar *Sun Tunnels* en medio del desierto [...], la obra vuelve paradójicamente disponible, o focaliza, una parte del entorno".[10]
En su ensayo "La escultura en el campo expandido" (1979), Rosalind Krauss escribe: "Aunque la *escultura* pueda reducirse a lo que en el grupo de Klein es el término neutro del *no-paisaje* más la *no-arquitectura*, no hay razón alguna para no imaginar un término opuesto –que incluyera el paisaje y la arquitectura–, un término que denomino *complejo*. Pero pensar en este término 'complejo' supone admitir dos conceptos en la esfera del arte que anteriormente habían estado prohibidos: paisaje y arquitectura, dos términos que podían servir para definir lo escultórico (como había empezado a ocurrir en el arte moderno) sólo en su condición negativa o neutra. Al estar ideológicamente prohibido, el término complejo permaneció excluido de lo que podría llamarse 'la clausura del arte posrenacentista'. Nuestra cultura no había sido capaz anteriormente de pensar lo complejo, al contrario de lo que ocurre en otras culturas. Los laberintos son *al mismo tiempo* paisaje y arquitectura, como lo son los jardines japoneses. Los campos de juego ritual y procesional de las civilizaciones antiguas eran los ocupantes incuestionables de lo complejo, lo cual no quiere decir que fueran una va-

ture, the ritual playing fields and processionals of ancient civilizations were all in this sense the unquestioned occupants of the complex. Which is not to say that they were an early, or a degenerate, or a variant form of sculpture. They were part of a Universe or cultural space in which sculpture was simply another part —not somehow, as our historicist minds would have it, the same. Their purpose and pleasure is exactly that they are opposite and different."[11]
Today we can look for complexity in the direct evolution of this degenerative form that is neither landscape nor architecture, and certainly not sculpture, but is logically and evidently found in the spaces of everyday life. This is not a new category, but the awareness of what might be defined today as the space of living. The expanded field identified by Rosalind Krauss continues to expand through contamination and complexity. This expansion overflows, through movement, into a territory many architects and architects are beginning to explore, no longer landscape and no longer architecture, perhaps a new category that embraces both, or depending upon one's vantage point can impersonate both: Artscape. A landscape in which nature and architecture seek a single way of expressing themselves, an unprecedented synthesis.
From 1968 to 1970 artists like Robert Morris, Robert Smithson, Michael Heizer, Richard Serra, Walter De Maria and Mary Miss had entered a situation the logical conditions of which could no longer be described as modernist. Between 1995 and 2000 many architects found a new synthesis and expanded the field of postmodernism,

riante temprana o degenerada de la escultura sino que formaban parte de un universo o un espacio cultural en el que la escultura era simplemente una parte más: no eran equivalentes, como lo son, en cierto modo, para nuestra mentalidad historicista. Su propósito y su satisfacción residen precisamente en que son opuestos y diferentes".[11]
En la actualidad podemos buscar la complejidad en la evolución directa de esta forma degenerativa, que no es ni paisaje ni arquitectura y que probablemente tampoco es escultura, pero que se encuentra lógica y evidentemente en los espacios que vivimos en nuestra vida cotidiana. No se trata de una categoría nueva, sino de la conciencia de eso que en la actualidad se denomina con demasiada facilidad "espacio del habitar".
El *campo expandido* identificado por Rosalind Krauss sigue expandiéndose a través de la contaminación y la complejidad. Por medio del movimiento, dicha expansión invade un territorio que empiezan a explorar numerosos arquitectos y artistas. No es ni paisaje ni arquitectura, tal vez sea una categoría nueva que las abarca a ambas, o mejor, que en función del punto de observación puede despersonalizarlas: el *artscape*, un paisaje donde naturaleza y arquitectura buscan una sola forma de expresión, una síntesis jamás lograda hasta entonces.
Entre 1968 y 1970, artistas como Robert Morris, Robert Smithson, Michael Heizer, Richard Serra, Walter de Maria o Mary Miss se encuentran por primera vez en una situación cuyas condiciones lógicas ya no pueden denominarse modernas. Entre 1995 y 2000, numerosos arquitectos encuentran una síntesis nueva y expanden el campo del

seeking continuity between landscape and architecture through the operative methods of art. Through the experiences for a new urban ecology, the competition for the port of Yokohama, and especially through certain formal experimentation, architects like Foreign Office Architects, Nox, Shuei Endo, Peter Eisenman and MVRDV show us a new, possible world, while Rahm, Casagrande & Rintala, The Next Enterprise, Makoto Sei Watanabe and West 8 make use of the legacy of the earthwork to construct human-scale architectural spaces where contemplation enriches traditional activities, modifying their essence. Through Artscapes it is possible to measure and explore the combination between landscape and not-landscape in an attempt to re-mark sites, not only in terms of form, but also as Christo & Jeanne-Claude had done, for example, with their *Running Fence*, which "might be said to be an impermanent, photographic and political instance of marking a site."[12]
The group **The Next Enterprise** sums up this methodology in an unusual project and takes a step forward in the conception of a space-time capable of interacting with and being an integral part of the city. Today it is necessary to create a dialogue between art and architecture, and to bring a certain type of possibility into the city, attempting to enrich the space of art through the participation of the human body. The project *Blindgänger = Dud\gang = way of walking & walkway* is a symbolic place for the area in which it is inserted. The need for an enclosure around the Kulturwerkstätte building becomes the opportunity to respond,

posmodernismo en busca de una continuidad entre paisaje y arquitectura mediante los métodos operativos del arte. Desde las experiencias encaminadas a una nueva ecología urbana hasta el concurso para el puerto de Yokohama, y especialmente a través de ciertos experimentos formales, arquitectos como Foreign Office Architects, Nox, Shuei Endo, Peter Eisenman o MVRDV nos muestran otro mundo posible. Mientras tanto, Rahm, Casagrande & Rintala, The Next Enterprise, Watanabe o West 8 utilizan el legado de las *earthworks* para construir espacios arquitectónicos a la medida del hombre, donde la contemplación enriquece las actividades tradicionales, transformándolas en su esencia. Mediante las *artscapes* es posible medir y explotar la combinación del *landscape* con el *no-landscape* en una tentativa de re-marcar el emplazamiento (*re-marked sites*) no sólo formalmente, sino tal como había hecho, por ejemplo, Christo & Jeanne-Claude con su *Running Fence*: "Se diría que es un ejemplo transitorio, fotográfico y político de cómo marcar un emplazamiento".[12]
El grupo **The Next Enterprise** sintetiza esta metodología en un proyecto inusual y da un paso adelante en la concepción de un espacio-tiempo capaz de interactuar y formar parte integrante de la ciudad. En la actualidad es necesario hacer dialogar el arte y la arquitectura e introducir en la ciudad cierto tipo de posibilidades, intentando enriquecer el espacio del arte con la participación del cuerpo. El proyecto *Blindgänger = Dud\gang = way of walking & walkway* representa un lugar-símbolo para el área donde se inserta. La petición de una intervención

through a work that proposes a three-dimensional linear element that is no longer a borderline, a two-dimensional limit, "but goes on to provide a diverse experiential space for the human senses... With the walkway the authors create an approach that is also a thoroughfare, indicating to users that they are entering an area of altered space, one now designated for public use. To this extent the curved, cylindrical space is a space of transformation that can evoke a sense of expectation in the people coming from the mundane surroundings. Those that simply pass through experience the space and have the countryside pointed out to them, leaving via the northern opening."[13]
The project reinvents the limits of the discipline, attempting to attribute new meanings of use to established structures. A simple fence becomes an element capable of producing activity.
As in the work of Holt, the use of light defines the fence according to overlapping levels of interpretation. On the one hand the chromatic possibilities created inside; on the other, the forceful nocturnal image of the object. Internal space and external space take on a particular meaning, and the fence also defines the void it surrounds, making it active within the complex.
"The unusual architectural experiential space can be entered, crossed and played with in a diversity of ways. It can serve as a venue for things to be viewed or, the other way round, as an area for an audience, and it may be easily integrated in the day-to-day operations of the Kulturwerkstätte."[14]
The landscape and its total integration with the surrounding architecture are the essen-

en torno al palacio Kulturwerkstätten es una ocasión para responder con un trabajo que propone un elemento lineal tridimensional que ya no es un límite bidimensional, "sino que avanza para proporcionar un espacio experimental diverso, destinado a los sentidos humanos [...]. Con este paseo, los autores crean una aproximación que es también una vía de paso, indicando a los usuarios que están entrando en un área de espacio alterado, un área destinada ahora al uso público, hasta el punto de que este espacio curvo y cilíndrico es un espacio de transformación, capaz de producir una sensación de expectativa en la gente que llega desde los alrededores mundanos, la gente que cruza simplemente la experiencia de este espacio y se encuentra con el campo frente a ella, mientras se aleja hacia el acceso norte".[13]

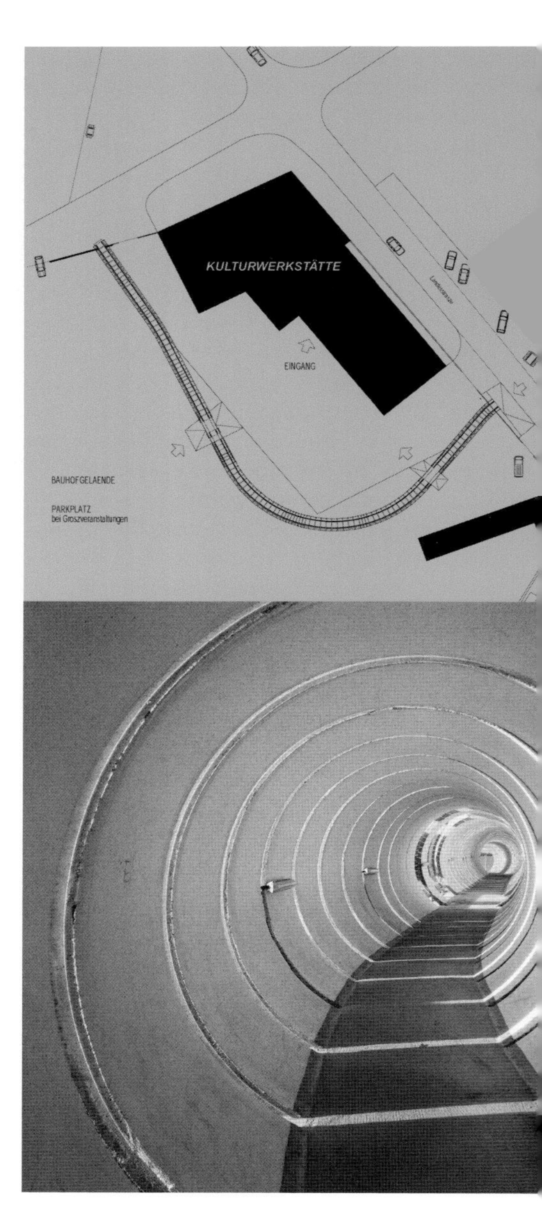

El proyecto reinventa los límites de la disciplina y se propone atribuir nuevos significados de uso a las estructuras consolidadas. Una simple *fence* se convierte en un elemento capaz de generar actividad. Al igual que en la obra de Nancy Holt, el uso de la luz define la *fence* según unos planos de lectura superpuestos: por un lado, las posibilidades cromáticas que se crean en el interior; por el otro, la potente imagen nocturna del objeto durante la noche. El espacio interior y el espacio exterior adquieren un significado especial, y la *fence* define incluso el vacío que la rodea, volviéndolo activo dentro del conjunto.

"Este espacio arquitectónico, inusual y experimental, puede ocuparse, puede atravesarse y se puede jugar con él de modos muy diversos: puede utilizarse para poder ver las

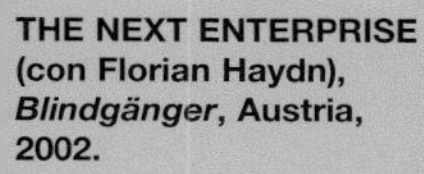

THE NEXT ENTERPRISE
(con Florian Haydn),
***Blindgänger*, Austria,**
2002.

THE NEXT ENTERPRISE
(with Florian Haydn),
***Blindgänger*, Austria,**
2002.

THE NEXT ENTERPRISE (con Florian Haydn), piscina, Viena, Austria, 2001.

THE NEXT ENTERPRISE (with Florian Haydn), swimming pool, Vienna, Austria, 2001.

cosas, o al revés, como una zona para una audiencia, y puede integrarse muy bien en la vida cotidiana del Kulturwerkstätten".[14]
El paisaje y su completa integración con la arquitectura que lo rodea son los elementos esenciales de otro proyecto de este grupo de arquitectos austriacos. En el caso de la piscina privada construida en Viena tuvieron ocasión de dar respuesta a las ordenanzas que prohibían construir en el jardín delantero de la villa de sus clientes. No era posible construir una estructura permanente. "No puede haber arquitectura si no hay espacio, o así deberíamos creerlo".[15]
Sin embargo, la capacidad para trabajar críticamente contra las reglas sugiere una arquitectura oculta que, como ocurre en las obras de Mary Miss o en las arquitecturas de Vito Acconti, busca un fragmento de pai-

tial elements of another project by this group of Austrian architects. In the case of the private swimming pool in Vienna the opportunity is that of responding to the regulations that prohibit construction in the yard in front of the home of their clients. No permanent structure can be made. "You can't have any architecture where there is no space, or so one would have thought." [15]
But the capacity to work critically in the midst of rules suggests a hidden architecture, which as in the works of Mary Miss or the architecture of Vito Acconci seeks a landscape portion in which to act undisturbed. "In the encapsulated space of the cave in the earth, forming a second grade interior space at the same time, it again links the contradictory characteristics to make a coherent whole." [16]

ROBERT SMITHSON, *Spiral Jetty*, Great Salt Lake, Utah, EE UU, 1970.

ROBERT SMITHSON, *Spiral Jetty*, Great Salt Lake, Utah, USA, 1970.

saje donde poder trabajar sin ser molestado. "En el espacio encapsulado de la cueva escondida en la tierra, formando al mismo tiempo un espacio interior de segundo orden, reúne una vez más sus características contradictorias para llegar a una totalidad coherente".[16]
La excavación representa un viaje que conduce del espacio doméstico al paisaje.
Cualquier relación entre los elementos –paisaje, vivienda, cuerpo, excavación– se modula mediante la luz utilizada, con el fin de evidenciar y subrayar el cambio de dimensión perceptiva.
Entre los artistas capaces de territorializar un ambiente natural se encuentra **Robert Smithson** quien, frente a un escenario natural como el gran Lago Salado, en Rozelle Point, Utah, afirma: "Mientras contemplaba el emplazamiento, éste reverberaba hacia los horizontes para sugerir un ciclón inmóvil, mientras que la luz parpadeante hacía que el paisaje entero pareciera temblar. Un terremoto latente se extendió por la quietud palpitante, por una sensación de rotación sin movimiento. Este lugar era un rotativo que se encerraba en una redondez inmensa. De ese espacio giratorio emergió la posibilidad de *Spiral Jetty* (muelle en espiral). Ninguna idea, ningún concepto, ningún sistema, ninguna estructura, ninguna abstracción podía mantenerse unida a otra en la realidad de esa evidencia".[17]
A partir de estas sensaciones toma forma el proyecto de un espacio capaz de restituir la posición del individuo en la inmensa extensión de agua y cielo: una acumulación de bloques de basalto y de barro, de cuatro metros de anchura, que se extiende en espi-

The excavation represents a voyage leading from the domestic space toward the landscape.
Every relationship among elements, landscape/dwelling/body and excavation is modulated through the light utilized, to bring out and underline the change in the perceptive dimension.
One of the artists capable of territorializing a natural environment is **Robert Smithson**, who when faced with a natural setting like the Great Salt Lake, at Rozelle Point, Utah, declared: "As I looked at the site, it reverberated out to the horizon only to suggest an immobile cyclone while flickering light made the entire landscape appear to quake. A dormant earthquake spread into the fluttering stillness, into a spinning sensation without movement. This site was a rotary that enclosed itself in an immense roundness. From that gyrating space emerged the possibility of the *Spiral Jetty*. No ideas, no concepts, no systems, no structures, no abstractions could hold themselves together in the actuality of that evidence."[17]
These sensations led to the project of a space capable of restoring the position of the individual in the immense expanse of water and sky: a pile of blocks of basalt and mud, four and one half meters wide, extending in a spiral in the reddish water of the lake for a length of 450 meters. Of course the work does not only attempt to reconstruct, or to give form to, the sensations of the artist, but also to a mythic memory present in the region. In fact, for the first inhabitants of this zone the explanation for this enormous expanse of salt water was that the lake had originally been connected to the

CASAGRANDE & RINTALA, *Land(e)scape*, Finlandia, 1999.
CASAGRANDE & RINTALA, *Land(e)scape*, Finland, 1999.

ral en el agua rojiza del lago, con un desarrollo de 450 metros. Lógicamente, lo que la obra pretende proponer, o mejor, formalizar, no son solamente las sensaciones del artista, sino también una memoria mítica presente en la región. Efectivamente, para los primeros habitantes de la zona, la explicación de esta enorme extensión de agua salada era que, en su origen, el lago estaba unido al océano Pacífico por una gigantesca corriente subterránea, cuya existencia provocaba remolinos en el centro del embalse. El mito se convierte en una forma definida; el signo se territorializa, dilatando el espacio interior de nuestro cuerpo: éste se hace partícipe del paisaje y, según Rosalind Krauss, [18] formaliza nuestras reacciones psicológicas, mostrando al mismo tiempo la tentativa de controlarlas a través de un pai-

Pacific Ocean by a gigantic underground waterway, whose presence caused whirlpools at the center of the lake. The myth becomes defined form, the sign is territorialized, dilating the internal space of our body, which thus takes part in the landscape and, according to Rosalind Krauss,[18] gives form to our psychological reactions to time, while showing the attempt to control them through a landscape composed of a succession of moments through time and space.
"Art demands risks, not moderation. Artists have always reserved the right to use extreme tactics, to live off balance. Without those willing to test the edge there would be no progress in the world, no earth-shattering novels, paintings or skyscrapers. [...]. My father once told me: 'Religion is about order. About keeping people in their place.'

saje compuesto por una sucesión de momentos que se desarrollan en el tiempo y en el espacio.
"El arte exige riesgo, no moderación. Los artistas se han reservado siempre el derecho a utilizar tácticas extremas, a vivir del desequilibrio. Sin esas personas que desean llegar hasta el límite no habría progreso en el mundo: ni novelas que sacudan la tierra, ni cuadros, ni rascacielos [...]; mi padre me dijo una vez: '[...] la religión trata sobre el orden, sobre el mantenimiento de las personas en su lugar [...] el arte trata de desestabilizar dicho orden".[19]
Los arquitectos **Casagrande & Rintala** trabajan en el límite existente entre el espacio arquitectónico tradicional y el espacio más conceptual representado por el arte. Para ellos, la inversión espacial da lugar a una ma-

[...]. Art is about destabilizing that order."[19]
The architects **Casagrande & Rintala** work on the borderline that exists between traditional architectural space and the more conceptual space represented by art. For them, the spatial inversion produces a material of expression, the fire that destroys the installation *Land(e)scape* defines its confines and limits, architecture finds definition through the system of narration and its erasure. The project is a reflection on the process of desertification that is happening in the countryside in Finland. Three barnhouses (traditional dwellings) are raised ten meters above ground level, perched on wooden poles, as if marching in a precise direction. Abandoned by the farmers, the structures seem to have decided to break off relations with the land, heading for the

CASAGRANDE & RINTALA, ***Sixty-Minute Man*****, Venecia, Italia, 2000.**

CASAGRANDE & RINTALA, ***Sixty-Minute Man*****, Venice, Italy, 2000.**

teria expresiva. El fuego que destruye la instalación *Land(e)scape* define sus límites. La arquitectura encuentra una definición a través del sistema de la narración y de su anulación. El proyecto constituye una reflexión sobre el proceso de desertización que se produce en el campo finlandés. Tres graneros tradicionales se levantan diez metros respecto a la cota del terreno y que, sostenidos por puntales de madera, parecen dirigirse hacia una dirección concreta. Abandonados por los campesinos, parece como si los graneros hubieran decidido romper su relación con el suelo, dirigiéndose hacia las ciudades del sur. La historia termina una noche de octubre, cuando se queman los graneros durante una fiesta tradicional. La forma pierde la fuerza de su significado, y el aspecto funcional de la casa se sustituye por la acción del

cities of the south. A story that comes to an end one night in October, when the cabins are burnt during a traditional celebration. The form loses the force of its meaning, the functional aspect of the house is replaced by the action of the fire that communicates the message through flames and smoke. "The territory does not exist before the qualitative sign, it is the sign that makes the territory." [20] In a territory the functions are not already there, intrinsic, but depend upon an expression based on the emergence of the qualities of the landscape and its tradition. This emergence is art. Architecture is the instrument of its diffusion.
The most evocative work of the group of Finnish architects is *Sixty-Minute Man*.[21]
For this installation they reutilize a 34-meter

fuego, que difunde su mensaje mediante las llamas y el humo.
"El territorio no es anterior a la marca cualitativa, es la marca la que crea el territorio".[20] En un territorio dado, las funciones no son lo primero; presuponen una expresividad generada por la emergencia de las cualidades propias del paisaje y de sus tradiciones. Dicha emergencia es arte. La arquitectura es el instrumento de su difusión.
La obra más evocadora de este grupo de arquitectos finlandeses es *Sixty Minute Man*,[21] donde se reutilizó el casco de un barco de 34 metros de longitud, que había sido encontrado abandonado en la laguna de Venecia. Los restos del naufragio sugirieron recrear en este lugar abandonado un nuevo espacio, vivo y completamente distinto, transformándolo en un jardín de encinas colgantes que simbolizara los modos de vida arcaicos de la historia del arte italiano.
Se implantó un parque sobre los desechos producidos durante una hora por la ciudad de Venecia, simbolizando la importancia del papel del arquitecto en tanto que resultó de los problemas reales de la ciudad contemporánea. Los materiales reciclados se combinan y se convierten en un paisaje en movimiento. Las casas suspendidas simulaban el devenir de la arquitectura. De hecho, el movimiento era tan sólo figurado. En *Sixty Minute Man*, la arquitectura adquiere un significado más profundo, simbolizando las posibilidades de movimiento de los recursos provenientes de diferentes lugares que, a través del territorio natural, pueden entrar una y otra vez en contacto entre sí. Las 22 encinas transforman un espacio abandonado en un paisaje natural. Tan sólo

hull found abandoned in the Venice lagoon. The wreck is just one of the thousands of vessels abandoned in the seas of the world. It suggests the creation of a new, living, completely different space from this abandoned place, transforming it into a garden of floating oaks, symbolizing the archaic way of life in the history of Italian art. A park is planted on the refuse produced in one hour by the city of Venice, symbolizing the importance of the role of the architect as a solver of real problems in the contemporary city. The recycled materials are combined and become a landscape in movement. The suspended houses simulate the becoming of architecture, the movement in fact was only figurative, in *Sixty-Minute Man* architecture takes on a deeper meaning, symbolizing the possibility of movement of resources between different places that may enter or re-enter into contact with one another through the natural territory. The 22 oaks transform an abandoned place into a natural landscape. Only the leaves of the trees are partially visible outside the vessel, one cannot get a complete perception of the park until one boards the ship. From the access bridge one has an entire view of the space, but not the perception of its real size. As in a natural landscape it is not possible to read the limits, the landscape seems to extend outward, infinitely, behind the first structural partition of the wreck. From the deck it is possible to descend and walk through the trees. The spaces thus created isolate the natural landscape artificially re-created in the lagoon landscape. The gaze opens toward the horizon, in this way the attention is concentrated on a new approach to the problems of green

las hojas de los árboles quedan parcialmente a la vista desde el exterior del casco. No es posible obtener una percepción completa del parque hasta el momento en que se sube a bordo. Desde el puente de acceso se tiene una visión completa del espacio, aunque no es posible percibir sus dimensiones reales. Tal como ocurre en un paisaje natural, no es posible leer sus límites. El paisaje parece extenderse hasta el infinito tras la primera partición estructural del casco. Desde el puente de mando se puede bajar y andar por entre los árboles. El espacio resultante aísla el paisaje natural, recreado artificialmente en el paisaje lagunar. La mirada se abre hacia el horizonte, de modo que la atención se concentra en una nueva aproximación al problema de las zonas verdes de la ciudad situadas junto al mar. Se instaura una potente relación entre el paisaje terrestre y la zona lagunar. El jardín constituye un espacio público cuyas dimensiones se extienden con el desplazamiento de la embarcación. El jardín del casco territorializa el mar: "La instalación demuestra hasta qué punto la arquitectura puede ser un laboratorio para reconsiderar los valores éticos de la planificación urbana".[22] Se trata de una visión ecológica en la que el arte y la arquitectura combinan sus respectivas posibilidades.
"Mostrar lo invisible del mundo visible: ésta es la misión de la arquitectura, y al mismo tiempo el papel del arte".[23]
Hacer visible lo invisible de la naturaleza por medio del arte constituye uno de los presupuestos de las obras presentadas en este volumen. Entre las cosas invisibles encontramos a menudo la fuerza espacial y

areas for seaside cities. A strong link is established between the earthbound landscape and the lagoon area. The garden is a public space whose dimension extends through the movement of the boat. The garden on the vessel territorializes the sea: "an installation that demonstrates how architecture can be a laboratory for rethinking the ethical values of urban planning."[22] An ecological vision in which art and architecture combine their possibilities.
"Making the invisible things of the world visible: this is the mission of architecture and, at the same time, the role of art."[23] Making the invisible things of nature visible through art remains one of the premises of the works presented in this volume. Often among invisible things we find the spatial force and the characteristics of a given place, but in many cases there are natural elements capable of influencing the image of any place, present everywhere. A storm, a sunset, the movement generated by wind, the part of the landscape we cannot see but only sense, or perceive with our other senses. **Walter De Maria** establishes a dialogue between the artificial space of art and the elements of nature in a work of extraordinary emotional intensity. The question of what is natural and what is artificial loses its absolute meaning. To interrupt the continuity of the natural landscape, amplifying it, becomes an expressive necessity to make the invisible visible.
"*Lightning Field* is a space that corresponds perfectly to the artist's definition [that] isolation is the essence of Land Art."[24] It measures about one mile by one kilometer, a grid composed of 400 polished steel poles

WALTER DE MARIA,
The Lightning Field,
Nuevo México, EE UU,
1977.

WALTER DE MARIA,
The Lightning Field,
New Mexico, USA, 1977.

las características de un lugar determinado, aunque muchas veces se trata de elementos naturales capaces de influir en la imagen de cualquier lugar, y están presentes en todas partes: un temporal, una puesta de sol, el movimiento generado por el viento, todos aquellos aspectos del paisaje que no logramos ver, sino solamente sentir, percibir, a través de otros sentidos.

Walter de Maria inicia un diálogo entre el espacio artificial del arte y los elementos de la naturaleza en una obra de una extraordinaria intensidad emotiva. La pregunta acerca de qué es natural y qué es artificial pierde su significado absoluto. Interrumpir la continuidad del paisaje natural, amplificándolo, se convierte en una necesidad expresiva con vistas a hacer visible lo invisible.

The Lightning Field es un espacio que res-

ponde perfectamente a la definición del autor: "El aislamiento es la esencia del *land art*".[24] Mide casi dos kilómetros por uno, una malla compuesta por 400 postes de acero pulido empotrados en el terreno ("postes con las puntas duras y puntiagudas"). La obra resulta imposible de fotografiar en su conjunto, puesto que invade el paisaje y se convierte en parte integrante del mismo. Un simple paseo alrededor de su perímetro requeriría de hecho unas dos horas.
Es posible hacer lecturas de esta instalación a distintos niveles. En primer lugar, sin la presencia del *Lightning Field*, revela los efectos de los cambios de luz, el espacio cambiante. En segundo lugar, la expectativa de un acontecimiento específico (el *Lightning*) permite relacionar la dimensión espacial de la obra con su dimensión temporal. En realidad, su duración define el espacio a través del factor tiempo, y el trasvase de energía que atraviesa el campo creado define un espacio arquitectónico preciso e inmaterial, directamente vinculado a la presencia de los observadores. De ese modo se crea lo que Rosalind Krauss ha denominado un "campo expandido" (*expanded field*), que incluye las nuevas categorías del *in-between*, es decir, de aquellos fragmentos de territorio que en apariencia no poseen ningún valor objetivo, excepto su propia presencia física, que Krauss denomina "emplazamientos marcados" (*marked sites*), "construcción de emplazamientos" (*site constructions*) o "estructuras axiomáticas" (*axiomatic structures*), en función del uso que hacen de los elementos del paisaje y de la definición de los espacios a representar.

with pointed tips, anchored in the terrain. The work is impossible to photograph as a whole because it invades the landscape and becomes an integral part of it. In fact, it would take about two hours to walk around its perimeter.
It is possible to interpret this installation on different levels. The first, without the presence of the lightning field, reveals the effects of the change of light, the shifting space. The second involves the expectation of a specific event (the lightning), making it possible to relate the spatial and the temporal dimensions of the work. The duration, in fact, defines the space through the time factor, and the transfer of energy that crosses the field created defines a precise, immaterial architectural space directly linked to the presence of observers. This leads to what Rosalind Krauss defines as an *expanded field*, which includes the new categories of the in-between, i.e. of those portions of territory that seem to have no objective value other than their physical presence itself, which she calls *marked sites*, *site constructions* or *axiomatic structures* depending upon the use they make of the elements of the landscape and the definition of the spaces to be represented.
De Maria's work is located in southwest New Mexico, a place that contains all the requirements that are fundamental for the installation: flatness, high lightning activity and isolation. Observing it means beginning a voyage of discovery of the space between the natural and the artificial landscape, to measure all the possible variations. Only 90% of the rods are present; in keeping with the angle of the sunlight with respect

La obra de Walter de Maria se sitúa en West Central, Nuevo México, un lugar que reúne todos los requisitos fundamentales para la instalación: llanura, frecuencia de relámpagos y aislamiento. Observarla significa emprender un viaje en busca del espacio existente entre el paisaje natural y el artificial, con el fin de medir todas las variaciones posibles. Tan sólo el noventa por ciento de los postes son visibles. En realidad, según el ángulo de incidencia del sol sobre el terreno, los postes van apareciendo y desapareciendo en una danza inmóvil. La luz es tan importante como el *Lightning*. Durante sesenta días del año la actividad de los relámpagos da origen al *Lightning Field*. Durante la mayor parte del tiempo, el espacio queda definido por otro tipo de efectos. Cuando surgen fuertes campos eléctricos en el aire se genera un efecto conocido como "fuego de san Telmo". Dicho efecto genera una tensión entre las puntas de los postes, los cuales intercambian entre ellos rayos de luz. Se trata de un espectáculo natural único que revela el paisaje invisible.
El paisaje cambia constantemente modulado por los movimientos del observador y por los efectos provocados por el temporal. La relación esencial ya no es la que existe entre la materia y las formas, y todavía menos la que se produce a lo largo del desarrollo constante de la forma y de la variación constante de la materia. En este caso aparece como una relación material directa entre el material y las fuerzas. El material constituye una materia molecularizada y, en cuanto tal, debe "captar" fuerzas que ahora ya pueden ser tan sólo fuerzas del cosmos. No existe ya ninguna materia que pueda encontrar en la

to the earth the rods appear and vanish in an immobile dance. The light is just as important as the lightning. Thunderstorms become an active element of the lightning field for about sixty days each year. Other effects define the space during the rest of the time. When strong electrical fields are present the effect known as St. Elmo's Fire takes place. This effect creates tension between the ends of the rods, which exchange flashes of light. A unique natural spectacle that reveals the invisible landscape.
The landscape changes constantly, modulated by the movements of the observer and the effects caused by the storm. "The essential relationship is no longer that between material and forms, nor does it lie in the continuous development of form or in the continuous variation of the material. It appears here as a direct relationship of material and forces. The material is a molecular matter and as such it must 'receive' forces, which at this point can only be forces of the cosmos. There no longer exists a material whose form can become its corresponding principle of intelligibility. Now we must develop a material destined to receive forces of another order: the visual material must capture non-visible forces. To make visible [said Paul Klee], and not to render and reproduce the visible... therefore the forces to capture are no longer those of the earth, which still constituted a great expressive form, now they are the forces of an energetic, informal and immaterial cosmos... the essential no longer lies in the forms and the materials or the themes, but in the forces, the densities, the intensities."[25]
The Japanese architect **Makoto Sei Watanabe**

forma su correspondiente principio de inteligibilidad. Ahora se trata de elaborar un material destinado a captar unas fuerzas de otro orden: el material visible debe capturar unas fuerzas invisibles. "Hacer visible", dijo Paul Klee, "no mostrar o reproducir lo visible. Por ello, las fuerzas que deben ser capturadas ya no son las de la tierra, que constituían todavía una gran forma expresiva. Ahora son las fuerzas de un cosmos energético, informal e inmaterial. Lo esencial no reside ya en las formas, en las materias o en los temas, sino en las fuerzas, en las densidades, en las intensidades".[25]
El arquitecto japonés **Makoto Sei Watanabe** sostiene que debemos aprender de la naturaleza para crear un espacio artificial que reproduzca las mismas sensaciones espaciales que encontramos diseminadas en el paisaje natural que nos rodea. A partir de ahí, desarrolla una serie de instalaciones con el propósito de trasladar la experiencia del diálogo natural-artificial a su arquitectura. Los árboles se doblan bajo la fuerza del viento. El propio viento genera olas en las hebras de la hierba. Todos los seres vivos reaccionan frente a la fuerza invisible de la naturaleza, la cual da origen a las formas de los elementos que la componen. De ese modo, espacios diversos adoptan conformaciones particulares gracias tan sólo a la energía natural. *Fiber Wave* está formada por 150 postes de carbono de 4,5 metros de altura. Cuando el viento arremete contra dichos postes, estos se doblan, y cuando cesa, los postes se mantienen erguidos. Se trata de una estructura artificial que pretende reproducir el libre movimiento de la naturaleza, creando unas configuraciones espacia-

believes that we have to learn from nature to create an artificial space that reproduces the same spatial sensations we find scattered throughout the natural landscape surrounding us. Therefore he has developed a series of installations in an attempt to transfer the experience of natural/artificial dialogue into his architecture.
Trees bend under the force of the wind, the wind creates waves in tall grass, all living things react to the invisible force of nature that shapes the forms of her constituent elements. In this way different spaces take on particular configurations, utilizing only natural energy. *Fiber Wave* is composed of 150 carbon rods, 4.5 meters in height. When the wind blows the rods bend; when the wind stops they stand still. An artificial structure that attempts to reproduce the free movement of nature, creating complex spatial configurations. It is not the hand of the architect that shapes the form, but the action of the wind that produces a project on method and form in a constant state of becoming. At the top of each rod a chip is placed containing a solar battery capable of accumulating sufficient energy during the day and releasing it at night in the form of soft blue light, making everything visible. In the passage of the day and night the installation reproduces a movement and a lighting effect that are always different, revealing the presence of the wind which would otherwise be invisible. The installation *Fiber Wave II*, composed of rods with optical fibers, transforms artificial environments into natural ones. Positioned inside closed exhibition spaces, it records wind movements in different parts of the world with

MAKOTO SEI WATANABE,
***Fiber Wave*, Ariake,**
Japón, 1994.

MAKOTO SEI WATANABE,
***Fiber Wave*, Ariake,**
Japan, 1994.

les complejas. No es la mano del proyectista lo que da lugar a la forma, sino la acción del viento que da lugar a un proyecto a partir de dicho método y a unas formas en constante evolución. En el extremo de cada poste se ha colocado un chip que contiene una batería de energía solar capaz de acumular energía suficiente durante el día y de restituirla durante la noche a través de una suave luz azul, de modo que todo resulta visible. Durante el transcurso del día y de la noche, la instalación reproduce un movimiento y unos efectos de luz siempre distintos que revelan el viento, el cual de otro modo permanecería invisible.

La instalación *Fiber Wave II*, formada por postes de fibra óptica, transforma algunos ambientes artificiales en ambientes naturales. Emplazada en el interior de espacios de exposición cerrados, registra, mediante sensores, los vientos de distintas partes del mundo en el tiempo real, y a través de la web transmite su movimiento a los postes. De ese modo, desde el desierto, desde el océano o desde cualquier ciudad del mundo, dichos vientos se hacen visibles. En realidad, el movimiento de los postes proyecta nuestra experiencia sensorial hacia un espacio mental más amplio, donde la memoria y la experiencia quedan confrontadas a través de nuestro movimiento por el interior de la instalación.

En el silencio de un museo podemos imaginar que nos encontramos en medio de una tempestad, o en una hora concreta de Tokio o Nueva York. Al igual que en el espacio de Walter de Maria, también aquí nos confrontamos con las dimensiones más amplias del paisaje. Una vez más, resulta difícil

sensors, transmitting the movements to the rods in real time over the Internet. From the desert, the ocean or any part of the world these wind movements become visible, the movement of the rods projects our sensory experience into a larger mental space where memory and experience meet through our movement inside the installation. In the silence of a museum it is possible to imagine being in the midst of a tempest, or in a particular moment of the day or night in Tokyo or New York. Again in this space, like that of De Maria, the observer comes to terms with the vast expanses of the landscape. The fine line between art and architecture becomes difficult to trace, once again, because it is impossible to determine where one type of representation ends and another begins. In these cases architecture becomes the result of a formal research experienced through art and its most direct forms of expression.

In the FresH$_2$O Pavilion architecture is a tool through which to narrate a natural element: water: architecture as narrative utilizing electronics, physical space and water. The Pavilion is divided into two spaces: one designed by Kas Oosterhuis, representing salt water, the other by the Nox group, representing fresh water.

In the space designed by the **Nox** group there is nothing like a traditional exhibition. The environment territorializes water, transforming it and reinventing through the movement of the visitors as they enter into relation with images and sounds. The building is invaded by water, first in the form of ice, then in the form of nebulized water illuminated by strobe lights to reveal

fijar el límite sutil entre arte y arquitectura, puesto que es imposible determinar dónde termina un tipo de representación y dónde podría identificarse la otra. En este caso, la arquitectura es el resultado de una búsqueda formal experimentada mediante el arte y sus formas de expresión más directas.
En el pabellón FresH_2O de **Nox**, la arquitectura es un instrumento con el que se pretende contar el relato de un elemento natural: el agua. La arquitectura actúa como una narración que utiliza la electrónica, el espacio físico y el agua.
El pabellón está dividido en dos espacios: uno de ellos proyectado por Kas Oosterhuis que representa el agua salada; el otro, proyectado por el grupo Nox, que representa el agua dulce.
En el espacio de Nox no se ha previsto ninguna exposición tradicional. El ambiente creado territorializa el agua, transformándola y reinventándola a través del movimiento de los visitantes que se relacionan con las imágenes y los sonidos. El edificio está colmado de agua, primero en forma de hielo, luego en forma de vapor e iluminada por medio de unas luces estroboscópicas que definen su masa y, por último, en forma de chorros que fluyen por el pavimento, provenientes de un pozo que contiene 120.000 litros.
El espacio físico anula cualquier tipo de referencia tradicional, intentando que la fluidez de las superficies que se deslizan entre sí haga desaparecer la distinción entre el pavimento y el techo. El edificio alberga un sistema de animación en tiempo real capaz de transformar el movimiento de cualquier tipo de flujo de los visitantes, sea luminoso,

its mass, and finally as streams running over the floor and a well containing 120,000 liters. The physical space cancels out any type of traditional reference, erasing the distinction between floor and ceiling in a fluidity of surfaces that flow into one another. The building features a real time animation system capable of transforming the movement of any type of flow —light flow, physical flow of visitors and sound— with the movements of virtual water.
The system is connected to LCD screens with 190 blue bulbs to form a luminous back, and a sound system capable of interactive modulation. The sensors are differentiated for large volumes, light, pressure, single persons, touch; each group of sensors is connected to a projector that shows and translates every action of the visitor as movements of virtual water.
Architecture becomes a landscape ready to be experienced and colonized, using art and nature as evocative tools capable of transforming and representing it. This relation system creates a mental territory that fuses natural elements with the space of everyday life, where art and architecture meet.

NOX, pabellón FresH$_2$O, Holanda, 1998.

NOX, FresH$_2$O Pavilion, The Netherlands, 1998.

físico o sonoro, en los movimientos del agua virtual.
El sistema se vincula a unas pantallas de cristal líquido (con 190 bombillas azules formando un dorso luminoso) y a un sistema sonoro preparado para mutar y transformarse interactivamente. Los sensores quedan diferenciados por grandes masas; sensores de luz, sensores a presión, sensores de individuos, sensores al tacto. Cada grupo de sensores está conectado con un proyector que muestra en tiempo real cada acción del visitante y la traduce a movimientos del agua virtual.
La arquitectura se transforma en un paisaje preparado para ser vivido y colonizado, utilizando el arte y la naturaleza como instrumentos evocativos capaces de transformarla y de representarla. A partir de este sistema de relaciones se crea un territorio mental que funde los elementos naturales con el espacio para la vida cotidiana, donde el arte y la arquitectura se confrontan.

[1] DELEUZE, GILLES; GUATTARI, FÉLIX, *Mille plateaux. Capitalisme et schizophrénie, Les Editions du Minuit*, París, 1980; (versión castellana: *Mil mesetas. Capitalismo y esquizofrenia*, Pre-textos, Valencia, 2000[4]).
[2] *Ibíd.*
[3] *Ibíd.*
[4] *Ibíd.*
[5] BARICCO, ALESSANDRO, "Piccole mezquite quotidiane", en *Barnum 2*, Feltrinelli, Milán, 1997.
[6] DELEUZE, GILLES; GUATTARI, FÉLIX, *op. cit.*
[7] VIRILIO, PAUL, *Vitesse de Libération: essai*, Galileé, París, 1995; (versión castellana: *Velocidad de liberación: ensayo*, Manantial, Buenos Aires, 1997).
[8] "Sun Tunnels [1977] revised 1995", en KASTNER, J.; WALLS, B., *Land and Environmental Art*, Phaidon, Londres, 1998.
[9] KASTNER, J.; WALLS, B., *op. cit.*
[10] KASTNER, J.; WALLS, B., *op. cit.*
[11] KRAUSS, ROSALIND E., "Sculpture in the Expanded Field", en *October*, 8, primavera de 1979; (versión castellana: "La escultura en el campo expandido", en *La originalidad de la vanguardia y otros mitos modernos*, Alianza Editorial, Madrid, 1996).
[12] CHRISTO & JEANNE-CLAUDE, notas del proyecto en KASTNER, J.; WALLS, B., *op. cit.*
[13] ZSCHOKKE, WALTER, "Blindgänger", en *Architektur & Bauform*, 206.
[14] ZSCHOKKE, WALTER, *op. cit.*
[15] RUBY, ANDREAS, "Privates Hallenbad in Wien", en *Baumeister*, 9, septiembre de 2001.
[16] BEARDSLEY, JOHN, *Earthworks and Beyond. Contemporary Art in the Landscape*, Abbeville Press, Nueva York/Londres/París, 1998.
[17] SMITHSON, ROBERT, "The Spiral Jetty" [1972], en FLAM, JACK (ed.), *Robert Smithson: The Collected Writings*, University of California Press, Berkeley/Los Ángeles/Londres, 1996; (versión castellana en *Robert Smithson* (catálogo de la exposición homónima), IVAM, Valencia, 1993).
[18] KRAUSS, ROSALIND E., *Passages in Modern Sculpture*, The MIT Press, Cambridge (Mass.), 1999[13]; (versión castellana: *Pasajes en la escultura moderna*, Akal, Madrid, 2002).
[19] KNOWLES, DAVID, *The Third Eye*, Bloomsbury Publishing, Londres, 2000.
[20] DELEUZE, GILLES; GUATTARI, FÉLIX, *op. cit.*
[21] Instalación presentada en la VII Bienal de Arquitectura de Venecia (véase catálogo de la Bienal: *Less Aesthetics, More Ethics*, Marsilio Editore, Venecia, 2000, vol. 1).
[22] CASAGRANDE & RINTALA, de la memoria del proyecto. Véase *Less Aesthetics, More Ethics, op. cit.*
[23] WATANABE, MAKOTO SEI, memoria de Fiber Wave III. Véase *Less Aesthetics, More Ethics, op. cit.*
[24] MARIA, WALTER DE, notas del proyecto, en KASTNER, J.; WALLS, B., *op. cit.*
[25] SPILLER, JÜRG VON (ed.), *Paul Klee. Das bildenerische Denken: Schriften zur Form- und Gestaltungslehre*, Benno Schwabe, Basilea/ Stuttgart, 1956.

[1] DELEUZE, GILLES; GUATTARI, FÉLIX, *Mille plateaux: capitalisme et schizophrénie*, Éditions de Minuit, Paris, 1980. (English version: *A Thousand Plateaus: Capitalism and Schizophrenia*, University of Minnesota Press, Minneapolis/London, 1987).
[2] *Ibid.*
[3] *Ibid.*
[4] *Ibid.*
[5] BARICCO, ALESSANDRO, "Piccole mezquite quotidiane", *Barnum 2*, Feltrinelli, Milan, 1997.
[6] DELEUZE, GILLES, GUATTARI, FÉLIX, *op. cit.*
[7] VIRILIO, PAUL, *Vitesse de libération: essai*, Galilée, Paris, 1995. (English version: *Open Sky*, Verso, London/New York, 1997).
[8] KASTNER, J.; WALLS, B., *Land and Environmental Art*, Phaidon, London, 1998.
[9] "*Sun Tunnels* [1977; revised 1995], in KASTNER, J.; WALLS, B., *op. cit.*
[10] *Ibid.*
[11] KRAUSS, ROSALIND E., "Sculpture in the Expanded Field", *October*, 8, Spring 1979; also in KRAUSS, ROSALIND E., *The Originality of the Avant-garde and Other Modernist Myths*, The MIT Press, Cambridge (Mass.), 1985.
[12] CHRISTO & JEANNE-CLAUDE, notes on the project, in KASTNER, J.; WALLS, B., *op. cit.*
[13] ZSCHOKKE, WALTER, "Blindgänger", *Architektur & Bauform*, 206.
[14] *Ibid.*
[15] RUBY, ANDREAS, "Privates Hallenbad in Wien", *Baumeister*, 9, September 2001.
[16] BEARDSEY, JOHN, *Earthworks and Beyond. Contemporary Art in the Landscape*, Abbeville Press, New York/London/Paris, 1998.
[17] SMITHSON, ROBERT, "The Spiral Jetty" [1972], in FLAM, JACK (ed.), *Robert Smithson: The Collected Writings*, University of California Press, Berkeley, 1996.
[18] KRAUSS, ROSALIND E., *Passages in Modern Sculpture*, The MIT Press, Cambridge (Mass.), 1999[13].
[19] KNOWLES, DAVID, *The Third Eye*, Bloomsbury Publishing, London, 2000.
[20] DELEUZE, GILLES; GUATTARI, FÉLIX, *op. cit.*
[21] Installation presented at the 7th Venice Architecture Biennial. See catalogue: *Città: Less Aesthetics More Ethics*, Marsilio Editore, Venice 2000.
[22] CASAGRANDE & RINTALA, project description. See also *Città: Less Aesthetics More Ethics, op. cit.*
[23] MAKOTO SEI WATANABE, *Fiber Wave III* (project description). See also *Città: Less Aesthetics More Ethics, op. cit.*
[24] WALTER DE MARIA (notes on the project), in KASTNER, J.; WALLS, B., *op. cit.*
[25] SPILLER, JÜRG (ed.), PAUL KLEE. *Das bildenerische Denken: Schriften zur Form- und Gestaltungslehre*, Benno Scwabe, Basle/Stuttgart, 1956. (English version: *The Thinking Eye. The Notebooks of Paul Klee*, Lund Humphries, London, 1961).

Dominik Baumüller

Rotation Pneu

Un cobijo portátil es la expresión exacta para un objeto capaz de delimitar un territorio mediante un movimiento mecánico y natural, haciéndolo de este modo habitable: una especie de "paraguas neumático giratorio" que aprovecha la fuerza centrífuga para desplegar una membrana en el espacio.
La membrana puede adoptar formas diversas en función de la velocidad de rotación y de la fuerza del viento. El aire penetra en el interior de la membrana a través de los agujeros situados a lo largo de los ejes de desarrollo. Durante la rotación, el aire que ha penetrado en la cavidad y la acción de la fuerza centrífuga hinchan la membrana. Un pequeño motor permite que la estructura gire y pueda utilizarse de diversos modos: como cobijo o como pantalla de proyección.

Rotation Pneu, a creation of Dominik Baumüller, a portable shelter, is the precise expression of an object capable of defining a territory, through a mechanical, natural movement, making it inhabitable. A sort of "rotating pneumatic umbrella" that develops the idea of utilizing centrifugal force to extend a membrane in space. The membrane can take on different forms according to the speed of rotation and the force of the wind. Air penetrates the thickness of the membrane through openings positioned along the axes of development. During rotation the air penetrates the cavities and the centrifugal force stretches the membrane. A small motor allows the structure to rotate and to be used in different ways, as a shelter or a screen for projections. The wind makes the object dynamic, as its form continuously changes in relation to the wind's force.

Casagrande & Rintala

1000 banderas blancas, Finlandia, 2000

1000 white flags, Finland, 2000

1.000 banderas blancas realizadas con sábanas procedentes de psiquiátricos, colocadas en unos postes de plancha de tres metros de longitud, clavados en una pista de esquí del Koli National Park, con el objetivo de celebrar la locura de los especuladores que talaron el antiguo bosque existente en esta área forestal, una de las más bellas de Finlandia.

1000 white flags made of sheets from mental hospitals on 3-meter iron bars attached to a downhill-ski slope in Koli National Park, to commemorate the madness of the businessmen who cut down the ancient forest in one of the most beautiful sylvan areas of Finland.

Casagrande & Rintala

Quezalcoatlus, La Habana, Cuba, 2000

Quezalcoatlus, Havana, Cuba, 2000

Una viga de hierro macizo de siete metros de longitud fue tendida con hilos de pescar entre dos edificios de hormigón. La distancia entre ambos edificios era aproximadamente de dieciséis metros. La viga pesaba 315 kilos, y fue depositada cuidadosamente en el suelo. La viga adoptaba su propia posición en altura debido a los cambios térmicos que encogían o dilataban los hilos de pescar, en función de la hora del día o de las condiciones climáticas. El pesado vuelo de la viga hacía que se balancease hasta el límite de lo imposible. Incluso podía presentirse la posibilidad de un desastre.

A solid iron beam, seven meters in length, is held in tension between two concrete buildings with fishing line. The distance between the buildings is approximately 16 meters. The weight of the beam is 315 kilograms and it is positioned slightly above ground level. The beam has its own movement pattern due to thermal changes that tighten or loosen the fishing lines, according to the time of day and the weather conditions. The heavy movement of the beam will border on the impossible. One can sense the possibility of disaster.

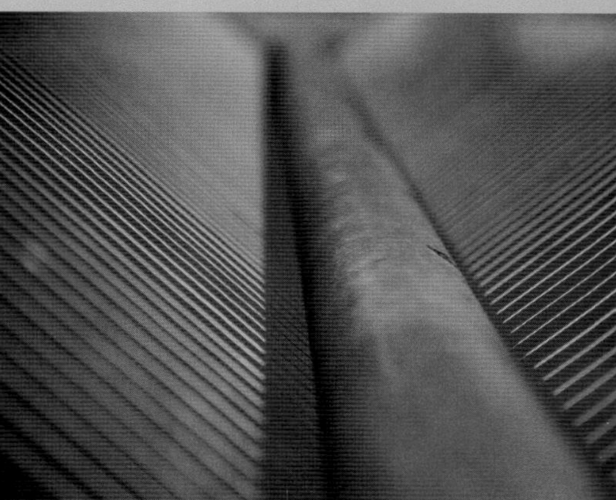

Martha Schwartz

Power Lines, Gelsenkirchen, Alemania, 1999

Power Lines, Gelsenkirchen, Germany, 1999

La instalación forma parte de la exposición internacional del Emscher Park, una zona donde se han ido cerrando industrias y en la que se están llevando a cabo procesos de transformación y recuperación del territorio. Los autores dieron al proyecto el nombre de Power Lines debido a la memoria presente en la zona de diferentes aspectos y formas de poder simbolizados a nivel político por el monumento del canciller Bismark y a nivel económico por la presencia de numerosas plantas de energía.
Mechtenberg es la única colina natural de la zona de minas de carbón de la región de Emscher. Se ha establecido un patrón geométrico de trigales segando el cereal de diferentes maneras siguiendo la dirección de las líneas de fuerza. En una propuesta anterior en la zona norte había

The installation forms part of the international exhibition on Emscher Park, an area where industries are being closed down and a process of transformation and reclamation of the territory is under way. The authors called the project *Power Lines* due to the memory existing in the area of different aspects and forms of power, symbolized at a political level by the monument to Chancellor Bismark and at the economic one by the presence of numerous power plants.
Mechtenberg is the only natural hill in the coal-mining zone of the Emscher region. A geometric pattern of wheat fields is established by cutting the crop in different ways by following the power lines. In an earlier scheme in the northern area there were rooms consisting of bales of hay. These

unas salas construidas a base de pacas de heno que se han sustituido en la propuesta final por campos de trigo dispuestos en bandas paralelas.
El estrecho corredor rojo, flanqueado por dos muros construidos con pacas de heno, marca el eje que conduce hacia el monumento de Bismark. Se ha colocado una sala negra en el punto de intersección entre este eje y las líneas eléctricas, un espacio circular definido a partir de pacas de heno envueltas con láminas de plástico negro sobre un lecho de carbón.

have been substituted in the final scheme by wheat fields arranged in parallel strips. The narrow red corridor, flanked by two walls built from stacked bales of hay, marks the axis leading toward the monument to Bismark. A black room has been sited at the point of intersection between this axis and the electricity power line, a circular space defined by hay bales wrapped in sheets of black plastic on a bed of coal.

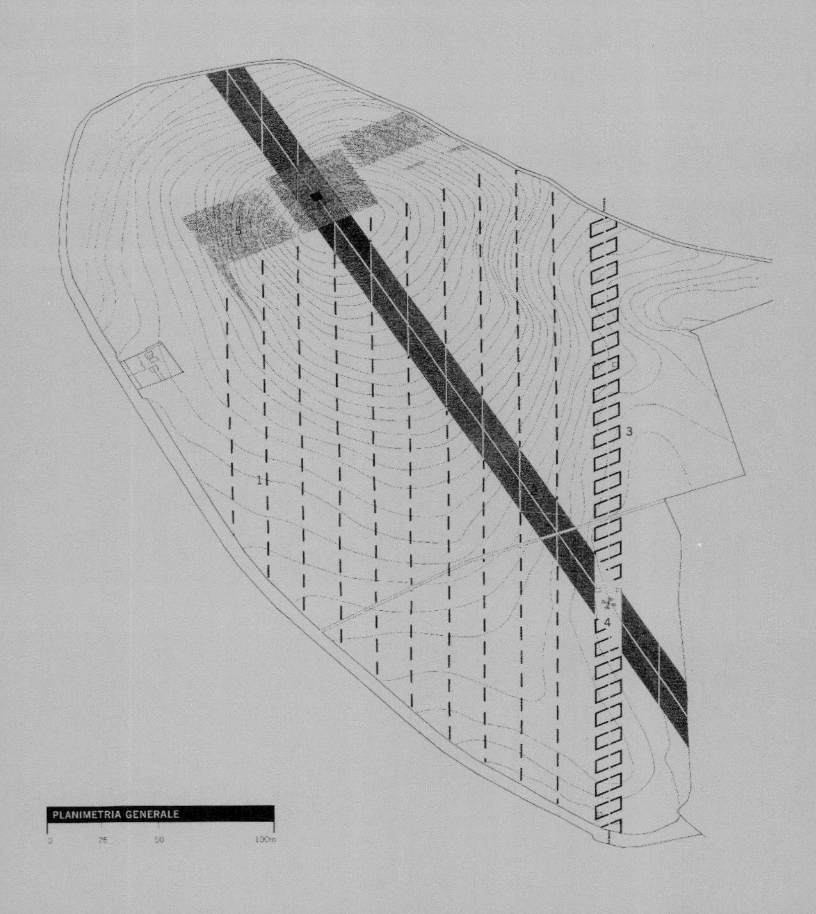

“Se olvida con demasiada facilidad que, incluso antes de construir un conjunto de técnicas destinadas a protegernos de la intemperie, la arquitectura es un instrumento de medición, una suma de saberes destinados a organizar el tiempo y el espacio de la sociedad, que nos permiten medirnos con el ambiente natural”.

PAUL VIRILIO, *L’Espace critique,* Christian Bourgois, París, 1984.

“It is all too easy to forget that prior to the construction of a complex of techniques aimed at offering us shelter from the elements, architecture is a measuring instrument, a sum of knowledge capable of organizing the time and space of society, enabling us to come to grips with the natural environment.”

PAUL VIRILIO, *L’Espace critique,* Christian Bourgois, Paris, 1984.

Cuando el arte se convierte en paisaje
When art becomes landscape

Fence de **Christo & Jeanne-Claude** es una obra de arte a escala territorial creada gracias a una operación que le ha permitido mantener durante sus catorce días de existencia la apariencia de una arquitectura imponente. Su importancia ha posibilitado una reflexión acerca de las posibilidades de proyectar el espacio mediante un arte que se sirva del paisaje. Tal como sucede en la tradición arquitectónica más sólida, el producto final resulta fascinante: una gran barrera blanca formada por una tela de nailon extendida a lo largo de millas y más millas, dispuesta para capturar el viento, capturar su movimiento.
"La mejor manera de verla era en coche [...]. Recorrer en coche la carretera de Meacham Hill hasta el océano, contemplar el movimiento sinuoso de la interminable

The *Fence* by **Christo & Jeanne-Claude** is an artwork on a territorial scale created exclusively through an operation that has maintained, throughout its 14 days existence, the look of an imposing work of architecture. Its importance has made it possible to reflect on the possibility of designing space through art that uses the landscape, and much more. As in the strongest architectural tradition, the final product is fascinating: the object, a large white barrier formed by fabric panels extended for miles and miles to catch the wind, its movement.
"The best way to see it was with a car. [...] To drive along the road from Meacham Hill to the ocean, to watch the sinuous movement of the endless white ribbon that appeared and disappeared at the top of the hills, crossing valleys, passing close by white

CHRISTO & JEANNE-CLAUDE,
***Running Fence*, California, EE UU, 1972-1976.**

CHRISTO & JEANNE-CLAUDE,
***Running Fence*, California, USA, 1972-1976.**

cinta blanca que aparecía y desaparecía en las cumbres de las colinas, atravesar amplios valles, pasar junto a las blancas factorías y los graneros sobre los que parecía precipitarse, correr paralelamente a la carretera..., esta era la mejor manera de observar *Fence*. Era necesario hacerlo precisamente de ese modo en distintos momentos del día, bajo distintas inclinaciones de la luz. Entonces parecía como si, en el fondo, tuviese mucho que ver con las experiencias artísticas más tradicionales. El paisaje delimitado por *Running Fence* se volvió más inolvidable que real. Christo había dicho que no pensaba en Fence como un recinto, un sistema de separación, como tampoco la consideraba una barrera natural encrespada por el viento. Se había realizado con la intención de que atravesase el paisaje, casi como una in-

farmhouses and barns where it seemed to plunge toward you, running parallel to the road; this was the best way to observe the *Fence*. You had to do just that, at different times of day, with different angles of the light: and then it appeared, in the end, to have quite a lot in common with more traditional forms of artistic experience: the landscape bordered by the *Running Fence* became unforgettable, realer than real. Christo said he didn't think of the *Fence* as an enclosure, a means of separation, just as he did not consider it a natural barrier where the wind was rippling. It was made with the idea that it would cross the landscape, almost an invitation to look at the landscape with new eyes [...] sometimes at dusk the *Fence* would look like a layer of snow on the hills. One afternoon, as he ar-

vitación a mirarlo con ojos distintos [...]. Algunas veces, al anochecer, *Fence* parecía un manto de nieve depositado sobre las colinas. Una tarde, mientras se dirigía en camión al lugar de trabajo, Christo se fijó de repente en una ladera de la colina donde el viento estaba encrespando la tela a lo largo de un cuarto de milla o más. 'Mira allí', le dijo a un amigo suyo, 'mira cómo da forma al viento".[1]

Precisamente a través de este "dar forma al viento", la obra nos lleva hasta algunos años antes, hasta las *Earth-works* de grandes dimensiones que caracterizaron el trabajo de artistas como Michael Heizer o el propio Robert Smithson, quien en 1968 había organizado la exposición homónima.

En *Earth-works* hay una voluntad de salir del sistema, del mundo tradicional del arte, con

rived on the worksite in a truck, Christo suddenly gazed at one side of the hill where the wind was rippling the fabric for a quarter of a mile or more. [...] Look over there, he said to a friend, see it giving form to the wind."[1]

It is precisely in this giving form to the wind that this feat takes us back toward the large-scale earthworks that characterized the work of artists like Michael Heizer or Robert Smithson himself, who had organized the exhibition with that title in 1968. Earthworks reflect the desire to leave the system, the traditional art world, to focus on larger projects for which there is no market, but only the great desire to change praxis. There needn't be an alteration of the field of action, but simply an attempt to stimulate an interpretation of reality.

objeto de dedicarse a proyectos de mayores dimensiones, para los cuales no existe un mercado, sino tan sólo un fuerte deseo de transformar una praxis. El campo de acción no debe alterarse: se trata tan sólo de una tentativa para hacer legible la realidad.
La acción se propone reencontrar o, mejor, desvelar el espacio, pero no el espacio físico sino el mental. "Algunos dicen que hago un arte teatral. Pero se equivocan. No es teatro, porque nunca hay en él un elemento de ficción. Todo es realidad, todo sucede realmente".[2]
Para Christo & Jeanne-Claude, el elemento fundamental de su modo de operar es la fase de realización, el proceso, los planos entrecruzados de lectura que contienen los aspectos más relevantes: sociales, políticos, legales, técnicos y estéticos.
En 1958, Christo comenzó envolviendo objetos, y durante los años siguientes Christo & Jeanne-Claude prosiguieron su actividad concibiendo obras de dimensiones cada vez mayores que implican al paisaje: en 1969 envolvieron la costa australiana a lo largo de una milla y media; en 1972 colgaron una cortina de tela de 76.200 metros cuadrados en un valle del Colorado; en 1974 tendieron una cobertura de polipropileno sobre las aguas de Newport. Más tarde proyectaron y realizaron *Running Fence*, una barrera de tela de seis metros de altura y 39'4 kilómetros de longitud que, después de haber atravesado dos condados de California, acababa tendiéndose sobre el océano. *Fence* se movía en el paisaje sin ninguna función específica, a excepción de su presencia objetiva.
La obtención de los fondos para su realización fue difícil (se hizo necesario vender di-

The action attempts to rediscover or to reveal space, not physical but mental space. "Some people say I make theatrical art, but they're wrong, it isn't theater, because there is never the element of fiction. Everything is real, each thing really happens." [2]
For Christo & Jeanne-Claude the fundamental element of the operation is the phase of realization, the process, the intersecting planes of interpretation that capture the relevant social, political, legal, technical and aesthetic aspects.
In 1958 Christo began by wrapping objects, and then Christo & Jeanne-Claude continued over the years inventing increasingly grand works involving the landscape: in 1969 they wrapped about a mile and a half of Australian coastline, in 1972 they stretched a 76,200 square meter curtain across a valley in Colorado, in 1974 they spread a covering of polypropylene over the water at Newport. Then they designed and built the *Running Fence*, a fabric barrier, six meters high and 24.5 miles long, which crossed two counties in California on its way to the ocean. The Fence moved in the landscape without any specific function other than its presence as an object.
The sale of preparatory drawings to found the expenses of the project was arduous, and the legal battles against the various commissions opposing the work were long and difficult. But in the end the *Fence* was completed, and one of the reports that accompanied the court decisions required for its realization provides an important explanation: "The only irreversible environmental impact may take place in the mind and the attitude of people. [...] Like an important

bujos, estudios previos y collages para su financiación) y las luchas legales contra las distintas comisiones que se oponían al proyecto fueron duras y largas. Pero finalmente, *Running Fence* pudo realizarse, y una de las memorias presentadas para hacer frente a las decisiones de los tribunales, necesaria para su realización, revela un punto importante: "La mutación ambiental irreversible podría darse exclusivamente en la mente y en la actitud de la gente [...]. Al igual que una idea o que un acontecimiento importante, *Running Fence* permanecerá en la memoria de la población, tanto de quienes la rechazan como de quienes la apoyan".[3]
El arte se funde con el paisaje como método de implicación para inducir a la reflexión y para generar un contacto con un lugar, un contacto físico o mental pero, en cualquier caso, un modo de entrar a formar parte de un ecosistema en constante transformación. Por tanto, el arte se entiende como un sistema ecológico capaz de volver a configurar un proyecto de territorio que, basándose en la valoración de la identidad de los lugares y de las culturas del habitar, puede recuperar la sabiduría ambiental perdida, los valores estéticos del espacio público, la medida de los asentamientos y el límite de la ciudad.
Los espacios creados por este procedimiento definen, ante todo, un paisaje capaz de condicionar y de influir al observador. El paisaje se convierte en la memoria de quien lo vive y en un instrumento para ser utilizado en la valoración y en la búsqueda de un espacio físico arquitectónico.
El primer paso consistió en convencer a los propietarios del suelo, quienes debían auto-

event or idea, the *Running Fence* will remain in the memory of the populace, of both its opponents and its supporters." [3]
Art fuses with the landscape as a method to involve people, to prompt reflection, to create a contact with a place, a physical or mental contact, but always a way of taking part in an ecosystem in continuous transformation. Thus art is like an ecological system, which can reconfigure a territorial project which, based on the values of the identity of places and the culture of habitation, recovers lost environmental knowledge, the aesthetic values of public space, the proportions of settlement and the limits of the city.
First of all, the spaces thus created define a landscape capable of conditioning and influencing the observer. Landscape becomes the memory of those who experience it, and an instrument for use in the evaluation and pursuit of a physical architectural space.
The first step was to convince the landowners to authorize the passage of the fence across their property. Getting "normal" people involved in their projects is one of the primary aspects of the art of Christo & Jeanne-Claude, an attempt to educate or, more precisely, to establish a dialogue, in this case engaging the landowners in the process.
The structures used for the construction were given to the ranchers and be used in a wide variety of ways after the work was dismantled. Getting the landowners involved was much easier than obtaining county permits. "*Running Fence* is a celebration of the landscape, [...] the fabric conducts sunlight and will give form to the wind. It will cross

rizar el paso de *Fence* por sus propiedades. Intentar implicar en el proyecto a la población normal y corriente constituye uno de los primeros aspectos del arte de Christo & Jeanne-Claude: un intento de educación, o mejor de diálogo, que induce a participar a los propietarios implicados.
Las estructuras utilizadas en la construcción fueron donadas a los propietarios y podrían utilizarse del modo más imprevisto una vez desmantelada la obra. Implicar a los propietarios resultó sin duda más fácil que obtener los permisos del condado. "*Running Fence* es una celebración del paisaje [...]. La tela hará de conductora de la luz solar y dará forma al viento. Atravesará las colinas y entrará en el mar como una cinta de luz[4]".
La topografía y el contexto social son dos aspectos fundamentales de un *artscape*. Todo el mundo vive y observa el paisaje. Sin embargo, a menudo algo se escapa, o mejor, ya no podemos acostumbrarnos a entrar en contacto con el mundo que nos rodea. El arte posee la capacidad de detenernos, de ralentizar nuestro ritmo y de restituir el valor del tiempo a la lentitud de la contemplación. El arte despierta de nuevo nuestro interés por todo lo que nos rodea, suprime las reglas y reescribe el espacio en que vivimos. Las artscapes restablecen el desorden en que vivimos.
El despliegue de la tela de nailon debía realizarse en tres días. Para este trabajo se habían reclutado trescientos sesenta jóvenes. La llegada de una orden que detuviese el despliegue sobre el océano (no se disponía todavía del permiso definitivo y, a pesar de ello, Christo & Jeanne-Claude decidieron empezar) era posible en cualquier momen-

the hills and enter the sea like a ribbon of light." [4] Topography and social context are two fundamental aspects for an artscape; everyone experiences and observes landscape. But often something escapes us, or more precisely we are no longer used to establishing contact with the world around us. Art has the capacity to stop us, to slow our pace, to restore value to time, to the slowness of contemplation. Art reawakens our interest in everything that surrounds us, erasing the rules and rewriting the space in which we live. Artscapes re-establish the disorder in which we can live.
The extending of the nylon had to take place in three days; 360 young people had been recruited for the operation. At any moment there was the risk of an injunction to stop the unfurling of the fabric in the ocean (the definitive permit had not yet been obtained, but Christo & Jeanne-Claude decided to proceed anyway). Everyone worked against time, to finish before the injunction could arrive. At six in the afternoon Christo & Jeanne-Claude decided to unroll the last meters of the fence. The work was finished. The artscape had absorbed, as a basic part of the project, all the complaints and accusations of its opponents. Christo & Jeanne-Claude made use of them, just as they used the landscape, the ocean, the climate, the politicians, the efficiency of their technical staff and of the young people who worked in the assembly. Utilizing everything is the right way to be an artist.
In this case art becomes an instrument architects can utilize to create interferences with the landscape and the nature of places and their force.

to. Todos trabajaron a contrarreloj para anticiparse a la orden. A las seis de la tarde, Christo & Jeanne-Claude decidieron desenrollar los últimos metros de *Fence*: la obra había terminado.
Como parte fundamental del proyecto, la *artscape* había absorbido incluso todos los rechazos y acusaciones de sus opositores. Christo & Jeanne-Claude hicieron uso de las mismas al igual que hicieron con el paisaje, con el océano, con el clima, con los políticos, con la eficacia de su personal técnico y con los jóvenes que trabajaron en el montaje. Hacer uso de todo es el modo exacto de ser artista.
En este caso, el arte se convierte en un instrumento que los arquitectos pueden utilizar para crear interferencias con el paisaje, con la naturaleza de los lugares y con su fuerza.
En muchos casos, la libertad respecto a las reglas logra generar una arquitectura simbólica capaz de colonizar el paisaje sin destruirlo. Entonces, el arte lanza una especie de mensaje privado e interfiere de igual modo con los espacios urbanos y naturales, creando lugares mediante una interferencia significativa respecto a los modelos de representación que desea contestar.
Si observamos las obras de Richard Serra, veremos que se proponen la tarea de redefinir la especificidad de los lugares, entrando en conflicto con expectativas y prejuicios estéticos y con determinados comportamientos. En este caso, el arte crea una interferencia puesto que se convierte en una interpretación, o mejor, en una contestación del lugar donde se inserta. Puede limitarse a marcar el espacio. Busca una confrontación entre una cultura alternativa y el

In many cases freedom from rules manages to generate a symbolic architecture that can colonize the landscape without destroying it. Art grants a sort of private message, it interferes with urban and natural spaces in the same way, creating places through a meaningful interference with respect to the models of representation being challenged.
If we observe the works of Richard Serra we notice they seem to have the objective of redefining the specificity of places, entering into conflict with expectations, aesthetic prejudices and behavior. In this case art creates interference, because it becomes an interpretation of, or perhaps a challenge to, the place in which it is inserted. It may limit its action to marking space, or it may seek confrontation with another culture, or the lower spaces of mass behavior. The art rejects rules, standard codes and laws, freeing the mind of the observer. The focus shifts to the space, the message and its possible interpretations.
Both operations involve actions and processes. Artscape, in the same way, means seeking a new dialogue with every type of landscape, widening the field of action, creating an architecture that itself becomes landscape and defines the field of action.
The work of the **Stalker** group is a clear example of the possibility of action through artistic intervention in a specific social panorama. This group of architects and artists refuses in a sense to come to terms with the reality of a language and the possibilities of an operative architecture, instead acting through their work on a mental landscape represented by the social substratum the group manages to involve through the

STALKER,
***Transborderline*, Roma,**
Italia, 2000.

STALKER,
***Transborderline*, Rome,**
Italy, 2000.

espacio "bajo" de los comportamientos de masa. El arte rechaza las reglas, los códigos estándar y las leyes, libera la mente de quien observa, y la atención vuelve otra vez al espacio, a su mensaje y a sus posibles interpretaciones.
Ambas operaciones implican acciones y procesos. De igual modo, *artscape* significa buscar un nuevo diálogo con cualquier tipo de paisaje; significa ampliar el campo de acción, crear una arquitectura que se convierta ella misma en paisaje y defina el campo de acción.
El trabajo del grupo **Stalker** es un claro ejemplo de cómo puede actuarse mediante intervenciones artísticas en un panorama social específico. Este grupo de arquitectos-artistas rechaza, en cierto sentido, la confrontación con la realidad de un lenguaje y con las posibilidades de una arquitectura operativa y, a través de su propio trabajo, actúa sobre un paisaje mental representado por el sustrato social que logra implicar en sus acciones. En cada una de sus intervenciones, Stalker pone en contacto sujetos diversos y realidades en apariencia inconciliables, y lo hace en un territorio neutral: la *performance*. A partir de ahí, el arte se convierte no sólo en una producción física, sino también en un sistema de comunicación a distintos niveles, capaz de crear un sistema de interferencias entre los arquitectos, la comunidad y el paisaje. La opción de rechazar la arquitectura se confirma *a posteriori* incluso en la arquitectura producida por otros. Esos "otros" son los arquitectos que observan las obras, las comunidades de inmigrantes que, a menudo, se logra implicar, o bien las administraciones de los luga-

actions. In every project Stalker puts different subjects into contact, apparently irreconcilable realities in a neutral territory, the territory of performance. At this point art becomes not only a physical production but also a system of communication on multiple levels, capable of creating a system of interferences among architects, community and landscape. The decision to reject architecture meets with an a posteriori fulfilment in the architecture produced by others. The others are the architects who observe the works, the communities of immigrants the group often manages to involve, or the administrations of the places that are literally occupied during the work. An action that is not always visible, but capable of resolving social problems thanks to the processes it sets in motion. Stalker is a vaccine, which through insertion in the genes of the virus is capable of creating antibodies in the city, ready to combat the virus but at the same time to accept it as an integral part of a complex system.
"*Transborderline* is a clear example of all this. *Transborderline* is a Habitable Infrastructure to support the free circulation of people. An impenetrable spiral of barbed wire has always been the three-dimensional representation of the border. The *Transborderline* is a proposal for a new kind of border, which maintains the spiral shape, but by removing the barbs and getting wider can be transformed into a playful space, crossable and at the same time inhabitable. A prototype of a possible future public space born from the 'unfolding' of borders, creating an ideal place for echange, through which to approach diversity.

res ocupados *de facto* durante su trabajo. Se trata de una acción no siempre visible, pero capaz de resolver problemas sociales gracias a los procesos que pone en marcha. Stalker es una vacuna que, mediante la inserción del gen del virus en la ciudad, es capaz de crear en ella los anticuerpos necesarios para combatirlo, aunque aceptándolo al mismo tiempo como parte integrante de un sistema complejo. *Transborderline* es un ejemplo claro de ello.

"*Transborderline* es una infraestructura habitable dispuesta para soportar la libre circulación de la gente.

Una espiral desenrollable de alambre de púas constituye en todo momento la única representación tridimensional de la frontera. *Transborderline* es una propuesta de una nueva clase de frontera que mantiene la forma de espiral pero que, al quitarle las púas y volverse más ancho, puede transformarse en un espacio lúdico, capaz de ser atravesado y habitado al mismo tiempo. Es un prototipo para un posible espacio público futuro, surgido del 'despliegue' de las fronteras, creando un lugar ideal para el intercambio y para una aproximación a la diversidad. Es una infraestructura que puede ser la estructura y el conducto para una urbanización de libre tránsito.

A lo largo de *Transborderline* pueden quedar las huellas de los viajeros. El extranjero puede sentirse bienvenido. Puede haber espacios para reuniones y confrontaciones públicas, así como espacios lúdicos para gente de todas las edades.

Es un espacio público donde es posible relacionarse con la diversidad, jugar con las fronteras, con su valor simbólico y con el

An infrastructure that can be the structure and the conduct for a free transit urbanization. Along the *Transborderline* the traces of people in transit can remain, strangers can find a welcoming situation, there can be spaces for meetings and public confrontation and recreational spaces for people of all ages. A public space to relate with diversity, in which to play with the borders, with their symbolic value and the reality of their being impenetrable.

A space that allows the crossing of the borders without erasing them. The *Transborderline* will be done by Stalker in different sites, in which to experience the potential of the structure as a playful space for interaction and confrontation.

The installation represents an imaginary infrastructure, crossing the borders between East and West, shifting thousands of soccer balls into the heart of Ljubljana and Venice. On the balls are written the names, stories and desires of people whose goal is the borders of Europe."[5]

This project aims at contributing to facilitate confrontation and exchange with the "other" and the free circulation of people. Stalker interprets the idea of the confine, the limit, recognizing its value as a place of exchange and passage that dilates and contracts in keeping with the objective needs of each different place and the context involved, a public space of relation with diversity... a space that permits crossing and surpassing of borderlines between "us" and the "others".

In the project of the Orto Boario there are several groups involved: the Stalker group, the Kurdish community they host in the

hecho real de que puedan desenrollarse. Es un espacio que puede atravesarse y que permite ir más allá de las fronteras, aunque sin suprimirlas.
Stalker colocará *Transborderline* en distintos emplazamientos, donde será posible experimentar la potencialidad de la estructura en tanto que espacio lúdico, preparado para la interacción y la confrontación.
La instalación representa una infraestructura imaginaria que, atravesando las fronteras de este a oeste, transporta hasta el corazón de Ljubljana y de Venecia miles de balones de fútbol, en los cuales estarán escritos los nombres, las historias y los deseos de toda la gente que goleó las fronteras de Europa[5]".
Este proyecto desea favorecer la confrontación y el intercambio con "el otro", así como la libre circulación de la gente.
Stalker interpreta la idea del confín, del límite, reconociendo su valor de lugar de intercambio y de paso, un valor que se dilata y se contrae en función de las necesidades objetivas de cada lugar distinto y del contexto implicado. Es un espacio público donde relacionarse con la diversidad, un espacio que permite atravesar y superar los límites con "el otro".
En el proyecto del *Orto Boario* se implicaron diversos grupos: el grupo Stalker, la comunidad kurda hospedada por ellos en el centro ARARat (una especie de centro espontáneo de acogida) y las autoridades institucionales. La idea consistía en restituir al paisaje natural un fragmento de territorio de la ciudad, uno de los patios del antiguo matadero de Roma. Se trataba de un jardín diseñado y pensado para pequeños cultivos, mediante los cuales la comunidad kurda se apropiaba

Ararat Center (a sort of spontaneous reception center for immigrants) and the institutional authorities. The idea is to give back a portion of the territory of the city, one of the courtyards of the former slaughterhouses of Rome, to the natural landscape. A garden designed and conceived for small plots, through which the Kurdish community takes possession of a piece of territory and tries to establish a physical contact with the place that hosts it. The geometry of the lines of composition of this garden is based on a confrontation between completely different realities and traditions, reflecting the attempt at cohesion and comprehension only an artistic intervention is capable of generating. But the installation is not conceived as a temporary element, and over time it is slowly transformed into a definitive work of architecture capable, in turn, of transforming and reorganizing an abandoned place. Around the garden, in fact, a series of different activities trigger a self-ordering process of spontaneous architecture.

de nuevo de un territorio e intentaba establecer un contacto físico con el lugar que los hospedaba. La geometría de las líneas que trazan dicho jardín surge de una confrontación entre la realidad y unas tradiciones completamente distintas y refleja un propósito de cohesión y de comprensión que sólo podía lograrse mediante una intervención artística. Sin embargo, la instalación no surge como un elemento temporal, sino que, con el tiempo, se va transformando poco a poco en una arquitectura definitiva, capaz de transformar y de reorganizar un lugar abandonado a su suerte. De hecho, una serie de actividades que se desarrollan en torno al jardín ponen en marcha un proceso de autoorganización de arquitecturas espontáneas.

Festival Jardins de Metis

Quebec, Canadá, 2001

Quebec, Canada, 2001

En Quebec, a lo largo del río San Lorenzo, se organiza cada año el Festival Jardins de Metis. En su segunda edición, nueve proyectos contemporáneos dialogan con absoluta libertad creativa con el extraordinario contexto.
La escenografía *Una semana en un jardín de verduras* del arquitecto del paisaje francés Michel Boulcourt consta de siete espacios distintos en los cuales las plantas y las flores, todas ellas comestibles y del mismo color, son los ingredientes de unos platos exquisitos preparados por un *chef*. Al lado de cada jardín se exponen las recetas.
Dominique Caire presenta *Colors of time*. Entre el cielo y la tierra, entre el agua y la campiña, las flores y las plantas emergen de unas nasas para langostas o
bien de las redes de pescar del río vecino.

In Quebec, along the St. Lawrence River, the second annual Festival Jardins de Metis featured nine contemporary projects, in a free, creative dialogue with an extraordinary context.
The project of the French landscape architect Michel Boulcourt was entitled *A Week in a Vegetable Garden*: seven different spaces in which plants and flowers, all edible, and all the same color, became the ingredients of refined dishes prepared by a chef. The recipes were displayed beside each garden.
Dominique Caire presented *Colors of Time*: between sky and earth, water and forest the flowers and plants emerge from lobster-pots or fishing nets in the nearby river, viewed from a verandah surrounded by birds attracted by feeders.

DOMINIQUE CAIRE,
Colors of Time.

DOMINIQUE CAIRE,
Colors of Time.

Puede disfrutarse de la vista del mismo desde un mirador rodeado de pájaros, atraídos por unas cajitas llenas de pienso. El grupo BGL ha creado un jardín a dos niveles. En la parte superior de una escalera se han dispuesto pequeños trozos de cinta aislante de color verde, colgados de hilos de nailon que centellean entre luces y sombras agitados por el viento. En el nivel inferior, en contraste, toman el aspecto de una desolada vegetación, debido a la tala reciente de unos abedules.
NIP Paysage ha realizado *Vitro*, una interpretación contemporánea de la campiña realizada con paredes de floreros llenos de gelatina de colores, piñas y textos dedicados a las plantas que inducen a una reflexión sobre el destino de los bosques.

The BGL Group created a garden on two levels. At the top of a flight of steps small pieces of green insulation tape, suspended on nylon lines, sparkled in the light and shadow, moved by the wind. On the lower level, in contrast, desolate vegetation, due to the recent cutting of the birch trees.
NIP Paysage created *Vitro*: a contemporary interpretation of the forest, composed of walls of jars full of colored gel, pinecones and texts on plants, for reflection on the destiny of the forests.

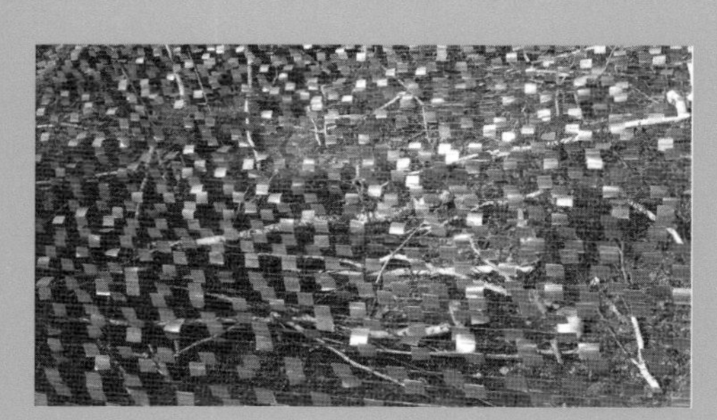

Grupo BGL, jardín en dos niveles.

BGL Group, garden on two levels.

>

NIP Paysage, *Vitro*.

NIP Paysage, *Vitro*.

Antonella Mari

Videoinstalación *Sospesi*
(con Daniela Papadia)
Academia de Estados Unidos,
Roma, 2002
Sospesi, video installation
(with Daniela Papadia)

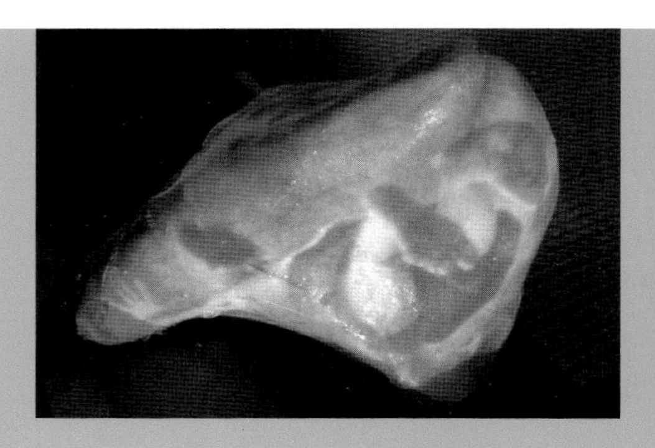

En esta obra, Antonella Mari trabaja sobre las posibles interferencias entre arte, espacio arquitectónico y paisaje. Las proyecciones de vídeo, la escultura, la arquitectura y el paisaje se funden en un *continuum* espacio-temporal en el que se recompone el territorio abstracto como fondo al movimiento del cuerpo en una fusión de la materia terrestre con la parte inmaterial del hombre.
"En la ubicación de la obra en el interior del espacio expositivo, el arte se reconcilia con la arquitectura [...]. Desde el inicio, la obra se concibe como espacial poniendo en juego la relación entre arquitectura e imágenes, entre espacio y movimiento y, sobre todo, entre proyecciones digitales bidimensionales y objetos tridimensionales con el intento de profundizar en perspecti-

In this work Antonella Mari works on the potential interferences between art, architectural space and landscape. Video projections, sculpture, architecture and landscape blend into a spatio-temporal continuum in which the abstract territory is recomposed as a backdrop to the movement of the body in a fusion of terrestrial matter and the immaterial part of human beings.
"In the siting of the work within the exhibition space art is reconciled with architecture [...]. From the word go the work is conceived as spatial, by bringing into play the relationship between architecture and image, between space and movement, and, above all, between two-dimensional digital projections and three-dimensional objects, the aim being to deepen the sur-

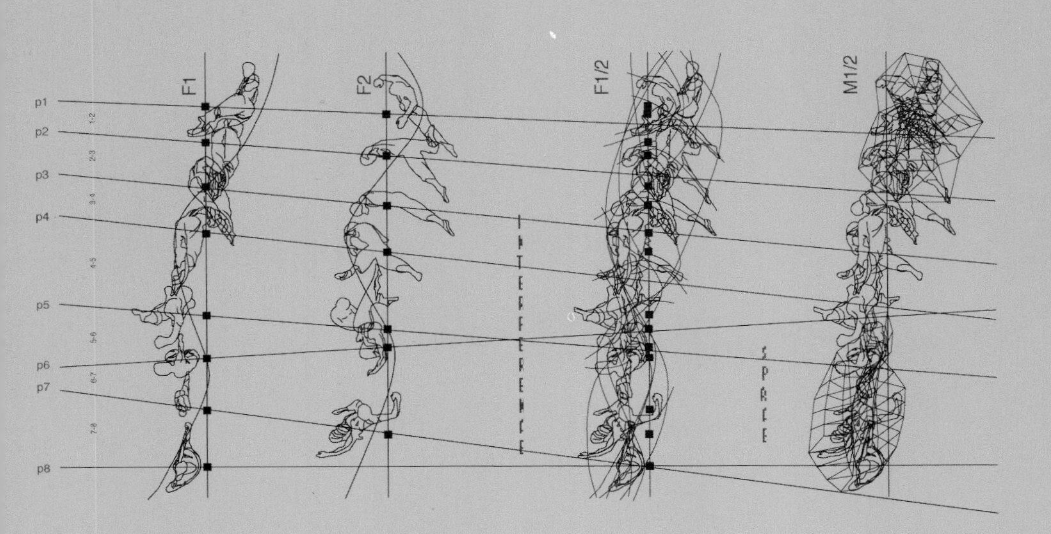

va los límites de la superficie e instaurar una interacción más fuerte entre la pantalla y la proyección [...] entes todavía poco relacionados, limitados y limitantes en la falta de plasticidad y en la neutralidad del soporte [...] donde entra en juego la relación cuerpo-espacio, la distancia, el movimiento, la gravedad y la ligereza, el espacio real en relación a espacios mentales y virtuales y la evolución en el imaginario colectivo desde el lugar al no-lugar [...]. Un vídeo como un fresco móvil que utiliza otros medios pero que habla siempre el lenguaje de la arquitectura en un proceso cargado de continuas ambigüedades, de reprocidad generacional y de alteración formal entre objeto, cuerpo e imagen".[6]

face boundaries in perspective terms and to set up a stronger interaction between screen and projection [...], entities that are still little-related, limited and limiting in their lack of plasticity and the neutrality of the support [...], and in which the relationship comes into play of body/space, distance, movement, gravity and lightness, of real space relative to mental and virtual spaces and the evolution within the collective imaginary from place to non-place [...]. A video like a moving fresco that uses other media but which always speaks the language of architecture in a process redolent with persistent ambiguity, generational reciprocity and the formal alteration of object, body and image". [6]

[1] TOMKINS, CALVIN, "Running Fence", en *The New Yorker,* 28 de marzo de 1977.
[2] TOMKINS, CALVIN, *Vite d'avanguardia. Christo,* Costa & Nolan, Génova, 1983.
[3] *Ibíd.*
[4] *Ibíd.*
[5] *5tudi. Stalker,* Editrice Librerie Dedalo, Roma, 2000.
[6] Mari, Antonella, *Sospesi* (apuntes inéditos), mayo 2002.

[1] TOMKINS, CALVIN, "Running Fence", *The New Yorker,* 28 March 1977.
[2] TOMKINS, CALVIN, *Vite d'avanguarda. Christo,* Costa & Nolan, Genoa, 1983.
[3] *Ibid.*
[4] *Ibid.*
[5] *5tudi. Stalker,* Editrice Librerie Dedalo, Rome, 2000.
[6] Mari, Antonella, *Sospesi* (unpublished notes), May 2002.

“Defiendo para los países pobres y medios una construcción del espacio mediante objetos no fugaces, considerablemente neutros, e incluso atemporales, situados en ámbitos altamente significativos por la presencia y la acción del paisaje, con la ayuda del paso del tiempo”.

EDUARD BRU, *Coming from the South,* Actar, Barcelona, 2001.

“I defend, for poor and middling countries, a structuring of space by means of non-ephemeral objects which are exceedingly neutral, even atemporal, and located in areas that are highly significant, given the presence and the action of the landscape, and with the aid of passing time.”

EDUARD BRU, *Coming from the South,* Actar, Barcelona, 2001

Arte + arquitectura + contexto
Art + architecture + context

El arte entendido como ornamento o decoración niega inevitablemente la invención y la reflexión, puesto que excluye la participación y la refundación de un nuevo contexto donde operar. El arte posee, en su aparente inutilidad, un gran valor: contener un pensamiento libre. En la escultura, la gran ruptura no se produjo probablemente con la pérdida del pedestal, como afirma Rosalind Krauss, sino con la huida de los talleres. Efectivamente, en el exterior encuentra una nueva dimensión espacial. El contexto adquiere una importancia estratégica, puesto que entra a formar parte de un proceso. El arte acaba dependiendo del paisaje que lo rodea, puesto que enseña a dialogar con el contexto, al igual que la arquitectura. Por el contrario, la mayoría de los arquitectos trabajan en el taller, para trasladar luego

Art as ornament and decoration inevitably negates invention and reflection, because it excludes participation and the re-establishment of a new context in which to operate in terms of the product of free thought. Art, in its apparent uselessness, has a great value: that of being free thought. For sculpture the great breakthrough was not, perhaps, the loss of the pedestal, as Rosalind Krauss claims, but the moment of leaving the studio. Outside the studio sculpture finds a new spatial dimension, the context takes on strategic importance because it becomes a part of a process, the art finally depends on the landscape around it because it learns to establish a dialogue with the context, like architecture. Most architects, on the other hand, work in the studio and then shift their products into the chosen place;

sus propios productos al lugar previamente elegido. De ese modo, el emplazamiento pierde importancia y se convierte en un pedestal. El orden se invierte. La escultura transgrede los límites del museo, mientras que la arquitectura se convierte en museo de sí misma.
Rosalind Krauss ha afirmado que en la escultura reciente se ha producido un cambio en la relación entre el observador y el objeto observado. El cambio en la posición del observador determina, a su vez, un cambio en el objeto de la escultura. El espacio del observador entra a formar parte del espacio del objeto. El espacio es el centro de cualquier forma de acción en el paisaje. El objeto y el observador lo ocupan de modos distintos, dialogando entre sí. Al igual que en la arquitectura, en el centro del arte surge el espacio de la vida cotidiana, donde finalmente es posible medirse sin reglas preestablecidas, o mejor, reinventando dichas reglas.
¿Cuál es el campo de acción del arquitecto y cuál el del artista? ¿Cuáles son sus métodos y qué acciones les corresponde a cada uno? "Cuando la escultura entra en el reino de la no-institución, cuando abandona la galería o el museo para ocupar el mismo espacio y el mismo lugar que la arquitectura, cuando redefine el espacio y el lugar en términos de necesidades intrínsecas de la escultura, entonces los arquitectos se sienten suplantados. No sólo su concepto del espacio queda modificado, sino que, en la mayoría de los casos, incluso es criticado. Dicha crítica sólo puede ser eficaz cuando se utilizan la escala, los métodos, los materiales y los procedimientos de la arquitectura. Esto conlleva comparaciones. Cada lenguaje

in this way the site loses importance, and becomes a pedestal. The order is inverted. Sculpture goes beyond the confines of the museum while architecture becomes a museum of itself.
Rosalind Krauss has written that in recent sculpture a change has taken place in the relationship between the observer and the object observed. The change in the position of the observer determines a change in the object of the sculpture, the space of the observer becoming part of the space of the object. The space is the center of any action in the landscape, the object and the observer occupy it in different ways, in a dialogue. As in architecture, at the center of art there appears the experienced space of everyday life, where finally it is possible to take stock of things without preordained rules, or reinventing the rules.
What is the field of action of the architect and that of the artist? What are their methods and what actions correspond to them? "When sculpture enters the realm of the non-institution, when it leaves the gallery or museum to occupy the space and place of architecture, when it redefines the space and the place in terms of necessities intrinsic to sculpture, architects feel they have been supplanted. Not only has their concept of space been changed, but in many cases it has also been criticized. The critique can be effective only when the scale, the methods, the materials and the procedures of architecture are utilized. This produces comparisons. Every language has its own structure that cannot be criticized from within. For critique of a language there must be a second language that deals with the structure

posee una estructura propia que no puede ser criticada desde su interior. Para criticar un lenguaje tiene que existir otro lenguaje que se ocupe de la estructura del primero, pero que posea una estructura distinta".[1] Es posible encontrar la diferencia en su valor y en su actitud de crítica, así como en su descubrimiento de un abanico de posibilidades. Dialogar con el lugar de un modo crítico permite descubrir algunas de sus características, permite asimilarlo de modo que el nuevo paisaje se vuelva artificial y extremadamente natural. La intervención en el espacio no mejora la calidad de un lugar, no añade nada a la sintaxis preexistente. El arte crea un lugar propio, pero no mediante una superposición, sino mediante una interferencia. Trabaja en contradicción con los espacios donde se encuentra y, precisamente a través de dicha contradicción, amplifica sus características principales.
A este respecto, la obra de **Richard Serra** resulta emblemática, pues crea malestar y genera anti-ambientes que estimulan reacciones discordantes. Serra afirma: "No quiero reforzar la intención de la arquitectura, sino mostrarla de un modo distinto".[2] En *Slice* (1980) una plancha curva de acero corta en dos el espacio de una galería. Ambos espacios no se comunican entre sí, sino que se accede a ellos por dos puertas distintas. El espacio convexo, completamente vacío, nos arrastra hacia el exterior, mientras que el espacio definido por la parte cóncava, amueblada, acentúa el carácter claustrofóbico propio de un espacio construido. Los espacios resultantes y el movimiento de las personas generan una reflexión sobre el espacio arquitectónico. El trabajo forma parte

of the first, but possesses a new structure." [1] The difference can be found in the value and critical attitude in the discovery of a range of possibilities. To establish a dialogue with the place in a critical way permits discovery of certain characteristics, permits its assimilation, making the new artificial landscape extremely natural. The intervention on the space does not improve the quality of a place, and adds nothing to the pre-existing syntax. Art creates its own place, not through superimposition, but through interference. It works in contradiction with the spaces where it is inserted, and precisely through this contradiction it amplifies their main characteristics.
The work of **Richard Serra** is emblematic, here, because it creates disturbance, it generates anti-environments that stimulate discordant reactions. Serra states: "I don't want to reinforce the intention of the architecture, but to show it in another way." [2] In *Slice* (1980) a sheet of curved steel cuts the space of a gallery in two. The two spaces do not communicate, and are accessed from two different doors. The completely empty convex space draws us to the outside, the furnished concave space accentuates the claustrophobic character of a constructed space. The spaces thus created and the movement of the persons define a reflection on the space of architecture. The work becomes an integral part of the landscape and urban context in which it is placed. "The latter is reorganized, reconstructed in terms of concept and perception, but never decorated, narrated or described." [3]
Language sets off in pursuit of pure spatial essence. One need not necessarily under-

line the characteristics of a place, its history and its social potential, but the dialectic interference between two different spatial qualities reopens discussion of the context through an autonomous presence capable of generating, if necessary, a rupture.
In *Spin Out* the movement around three large rectangular sheets of steel positioned in a park redefines the structure of the space through the dialogue established between the sculpture and the natural environment. From different vantage points one notices the particularities of the landscape, then the various overlappings of the sheets, then both things at once. The new space thus defined is the true material of the sculpture, challenging the terms of social relations in places, and their levels of utilization.
The sculptor's reflections act on different places, recording particular moments and times of a context. The artistic interpretation is a sort of spatial reinterpretation of certain specific characteristics of the place, such as the horizontal movement of vehicles emerging from the tunnel connecting Manhattan to New Jersey, where with the *St. John's Rotary Arc* Serra imitates the trajectory the cars would take were it not necessary for them to slow down. The work becomes a symbolic visualization of an action, getting involved with the nature of the area and its specificity. The same dimensions are in close relation to the natural landscape and the artificial surroundings.
An emblematic case of the critical capacity of an artwork inserted in a landscape, natural or otherwise, is evident in a work Serra was commissioned by the government to

1, 2
RICHARD SERRA,
***Spin Out*, 1972-1973.**

3
RICHARD SERRA,
***Schulot's*, 1984.**

RICHARD SERRA,
Spin Out, 1972-1973.

RICHARD SERRA,
Schulot's, 1984.

integrante del contexto paisajístico y urbano donde se emplaza. Dicho contexto queda "reorganizado, reconstruido conceptual y perceptivamente, pero en ningún caso decorado, narrado y descrito".[3] Se pone en marcha el lenguaje para una búsqueda de la espacialidad pura. No es obligatorio subrayar las características de un lugar, su historia o su potencialidad social, sino que la interferencia dialéctica entre dos espacialidades distintas pone en crisis el contexto, mediante una presencia autónoma capaz de generar, incluso si es necesario, una ruptura.
En *Spin Out*, el movimiento en torno a tres grandes planchas rectangulares de acero colocadas en un parque, redefine la estructura del espacio mediante el diálogo que se establece entre la escultura y el ambiente natural. Desde distintos puntos de vista, se ponen en evidencia, bien las peculiaridades del paisaje, bien las distintas superposiciones entre las planchas, o bien ambas cosas. El nuevo espacio definido es el auténtico material de la escultura y pone en crisis los términos de la sociabilidad en relación a los lugares y a los grados de fruición.
La reflexión del escultor se proyecta sobre lugares distintos, registrando momentos y tiempos concretos de un contexto dado. La lectura artística constituye una especie de segunda lectura espacial de algunas de las características específicas del lugar como, por ejemplo, el movimiento horizontal de los vehículos en la salida del túnel que une Manhattan con Nueva Jersey. Allí, con su *St. John Rotary Arc*, Serra mimetiza el recorrido que hubiese seguido el coche si no hubiera tenido que disminuir la velocidad. La obra se convierte en una visualización sim-

RICHARD SERRA,
***Call Me Ishmael*, 1986.**

RICHARD SERRA,
Call Me Ishmael, 1986.

bólica de una acción, de modo que entra en juego con la naturaleza de la zona y con su especificidad. Incluso sus dimensiones mantienen una estrecha relación con el paisaje natural y el paisaje artificial circundantes. El carácter emblemático de la capacidad crítica de una obra de arte que se inserta en el paisaje, sea natural o no, se hace evidente en un trabajo encargado a Serra en 1981 por el Gobierno, para ser emplazado en una plaza de Nueva York. La Federal Plaza debía acoger una gran escultura permanente, el *Tilted Arc*. Ocho años después de su realización, esta obra fue protagonista de una batalla legal sin precedentes en Estados Unidos. El arte fue sometido a la censura, debido a una petición firmada por altos funcionarios que trabajaban en los edificios adyacentes, quienes calificaban a la escultura de "incongruente, peligrosa y socialmente grosera". Todos estos calificativos se debían a que la obra no secundaba ningún tipo de seguridad visual, no había sido colocada para encuadrar los movimientos cotidianos de los ciudadanos, y perseguía una reacción por parte del observador, de modo que generaba una desestabilización y disminuía la seguridad. Esta reacción de censura constituye la prueba evidente de que la crítica al lugar era una realidad. La gente que protestaba entendía que la dificultad para relacionarse con el lugar urbano no dependía de una característica determinada de la obra, sino que el malestar vital ya existía en ese lugar, en las calles adyacentes, en los movimientos repetidos de los trabajadores que lo cruzaban. Así pues, en 1989 la escultura fue retirada. Serra rechazó trasladarla a otra parte, puesto que había sido pensada expresamente para aquel contexto.

make in 1981 for a plaza in New York. Federal Plaza was supposed to host a large permanent sculpture, *Tilted Arc*. This work, eight years after its creation, became the protagonist of a legal battle without precedent in the United States. The art was censored because a petition signed by functionaries working in the nearby buildings defined the sculpture as "incongruous, dangerous, ugly." All this because the work did not encourage any type of visual reassurance, it was not placed there to frame the everyday movements of users, it attempted to get a reaction out of the observer, and therefore it was seen as a destabilizing force, a threat to security. The reaction of censure is the most evident proof that the critique of the place was real. The people who protested understood that the difficulty of relating to the urban place did not depend upon a characteristic of the work, but on the sense of vital discomfort inherent in the place, in the nearby streets, in the eternally equal movements of the workers rushing back and forth. In any case, in 1989 the sculpture was removed. Serra refused to move it elsewhere, because it had been made specifically for that context. In fact, in an interview in 1983 he states: "Recently I've been asked about Federal Plaza. [...] For me [Federal Plaza is] a problematic site, excessively defined by the institution and representing the American way of justice. I hope the work won't become the symbol of that square." [4] This didn't happen, because his work triggered a mechanism that puts the symbols into crisis, along with what those symbols represent in American society. This type of site-specific intervention forced a clash with a justice system that was not

Efectivamente, en una entrevista realizada en 1983, afirmaba: "Cuando me encontré trabajando en la Federal Plaza me di cuenta de que el lugar era problemático, excesivamente determinado por la institución y demasiado representativo del sistema estadounidense. Espero que mi obra no se convierta en el símbolo de esta plaza".[4] Y efectivamente esto no ocurrió, puesto que su trabajo activa un mecanismo que pone en crisis los símbolos, y todo lo que dichos símbolos representan para la sociedad americana. Este tipo de intervenciones tan enraizadas en el emplazamiento ha obligado a un enfrentamiento con un sistema judicial incapacitado para una confrontación con el arte[5] o incluso con la realidad cotidiana. En la actualidad, en la misma plaza se ha colocado un tranquilizador juego decorativo de asientos realizado por Martha Schwartz. Podemos cruzarla o detenernos sin comprender en ningún caso la auténtica naturaleza de los lugares de travesía de las metrópolis americanas. En la nueva plaza, la arquitectura demuestra su incapacidad para desempeñar un papel crítico eficaz. De hecho, la arquitectura ha perdido toda su carga propositiva, secundando unas exigencias cada vez más estandarizadas. El modo de operar de Serra es distinto al de un arquitecto. En realidad, como señala Peter Eisenman en una entrevista con el propio Richard Serra, la mayoría de los arquitectos sostienen que quien ha puesto la primera piedra es quien determina el contexto. Por el contrario, el artista analiza el contexto de tal modo que incluso puede exigir la supresión de la primera piedra. Serra busca en el paisaje la sustancia de la propia obra, realizando una lectura precisa del mismo, aun-

prepared for confrontation with art,[5] or even with day-to-day realities. Today the plaza is adorned by a reassuring decorative set of seats by Martha Schwartz. You can walk across the plaza or spend time there without ever noticing the true nature of the places of crossing of the American metropolis. In the new plaza architecture demonstrates its incapacity to play an effective critical role. The architecture has lost all purposefulness and simply responds to the most standardized of needs.
Serra's way of operating is different from that of an architect, or at least most architects. In fact, as Eisenman emphasizes in an interview about Serra, most architects believe that whoever lays the first stone determines the context. The artist, on the other hand, analyzes the context in a way that may also require *the removal of the first stone.* Serra looks for the substance of his work in the landscape itself, offering a precise interpretation, but without granting a complete view. He reveals it by parts, in keeping with the distance of the observer, a sort of definition of a place through the interpretation of its borders furnished by perception, permitting the observer to concentrate on its internal structure, something architecture fails to do, in its pursuit of the definition of the material limits of a space. It is evident that Serra's main interest is in the place and its capacity to involve the observer.
"In an urban site I consider the traffic, the streets and the surrounding architecture. I construct a sort of disjunction with a structure that will identify the space, that relates to and at the same time remains detached from the surrounding architecture. In the landscape, even if the procedure of analysis

que sin permitir una visión completa. Lo desvela por partes, en función de la distancia desde la que se observa: una especie de definición de un lugar, realizada mediante la lectura de los límites del mismo tal como se ofrecen a la percepción, y permitiendo que el observador se concentre en su estructura interna, cosa que no hace la arquitectura, siempre en busca de la definición de los límites materiales del espacio. Es evidente que el interés principal de Serra va dirigido al lugar y a sus posibilidades de implicación.

"Cuando trabajo en un emplazamiento urbano tomo en consideración el tráfico, las calles y la arquitectura circundante. Construyo una especie de disyunción por medio de una estructura destinada a individualizar el espacio, la cual se relaciona y se separa al mismo tiempo de la arquitectura circundante. En el paisaje, aunque el proceso de análisis del emplazamiento es el mismo, mis esculturas tienen que ver más con el movimiento que con el lugar. Mis intervenciones en el paisaje son abiertas, mientras que mis intervenciones urbanas suelen ser cerradas".[6]

Sus obras se convierten en una crítica a la arquitectura, puesto que son capaces de señalar sus lagunas, precisamente porque al construirse a la misma escala, pero sin las limitaciones de aquélla, muestran un espacio sin limitar sus potencialidades.

Por este motivo, Serra ha tenido siempre problemas al trabajar con arquitectos. En una entrevista cuenta la siguiente historia: "Una gallina y un cerdo van andando por la calle. Pasan por delante de un cartel donde pone: 'Jamón y huevos a 25 céntimos'. La

of the site is the same, my sculptures have more to do with movement than with the place. Landscape interventions are open, while urban ones are usually closed." [6]

His works become a critique of architecture, because they can indicate its shortcomings, precisely because they are constructed on the same scale but without the same limits. They demonstrate a space without limiting its potential.

This is why Serra has always had problems in working with architects. In an interview he tells the following story: "A chicken and a pig are walking along the road when they pass a sign that says 'ham & eggs, 25 cents.' The chicken says, 'that's good value, I reckon,' and the pig says, 'I was pretty sure you'd think that way, you've only to lay an egg, me, it costs me my ass.' It's the same thing with architects *vis-à-vis* artists. Invariably the architect gives very little ground, while the sculptor often leaves his bones and all. In my sculpture I structure space in a way the architect hasn't foreseen. From that moment on they become very hostile because you're restructuring their ideas. Most architects don't concern themselves with space, but with skin, with surface. There's very little invention in terms of structure. The basic building is conceived by an engineer and after that the architects add different facings, different bits up above and different bits down below. [...] I've a lot of respect for engineers and they're generally more enlightened as to sculpture, more prepared to accept my works. [...] Someone like Saarinen attempts to push the building and the architecture to their limits. If you weren't able to enter

gallina le dice al cerdo: 'Me parece que aquí hay negocio'. El cerdo contesta: 'Eso se dice rápido. ¡Tú sólo tienes que poner los huevos, pero yo me juego el cuello!'. Lo mismo sucede entre los arquitectos y los artistas. Con toda seguridad, el arquitecto cede muy poco, mientras que el escultor sale perdiendo a menudo. En mi escultura estructuro, o reestructuro, el espacio arquitectónico de modos no previstos por los arquitectos. En este aspecto, los arquitectos pueden volverse muy hostiles, ya que se dan cuenta de que sus conceptos se han modificado. En la actualidad, la mayoría de ellos no se ocupa del espacio, sino de la piel, de la superficie. Desde el punto de vista de las estructuras, existe escasa invención. La mayor parte del edificio la diseña un ingeniero, y luego los arquitectos añaden los revestimientos, las divisiones, etc. Tengo mucho respeto por los ingenieros: por lo general están más abiertos a la escultura, están más dispuestos a aceptar la inventiva de mi trabajo. Arquitectos como Saarinen han intentado que la construcción y la arquitectura llegaran hasta el límite extremo. Si no pudiese andar por debajo del arco de Eero Saarinen en St. Louis, si no tuviese la función de un belvedere con ascensores y escaleras, lo consideraría una escultura, e incluso muy lograda. Pero, poder pasar por debajo de él lo convierte en un elemento arquitectónico. Su simplicidad y sus proporciones son ejemplares. No sé si Saarinen fue consciente de su capacidad para modificar la escala de la ciudad (fue terminado después de su muerte) ¡El arco tiene una altura de 200 metros y, sin embargo, no presenta un aspecto monumental!".[7]

Saarinen's arch in Saint-Louis, you'd consider it a sculpture, an extremely satisfying one, what's more. Because you go under it, it becomes an architectural element. But its simplicity and scale are exemplary. I'm not sure he imagined (the arch was finished after his death) this ability to change the scale of the city." [7]
Only certain architects understand that you have to look at the landscape in a different way, with more freedom, seeking the memory of a place. One of these is **Peter Eisenman**, who in the Holocaust Monument in Berlin makes use of a different sensibility to reveal the memory of a place. The presence of a process in which "the monument is no longer seen as an object but as a body of complex interrelations that include the actions performed in favor of the monument and also the physical stone itself." [8]
Eisenman tries to reconstruct an entire series of interrelations that reveal a place and a tragedy of the history of the 20th century. In this project memory is not the protagonist, but the victims of the Holocaust, who are present in the space that is not bordered but simply revealed through the action of those who look at the work and the landscape, a true process of unveiling that immerses itself in reality. The moment of observation becomes important because it leaves the observer in the present, establishing an inseparable and necessary relation between the person who looks and the object looked at, which become a single entity. The space creates a destabilization of the individual who through the artificial void retraces, in the present, the loss of the past. The striated space takes possession of the

Tan sólo unos pocos arquitectos han entendido que hay que mirar el paisaje de un modo distinto, con mayor libertad, indagando en la memoria de un lugar. Entre éstos se encuentra **Peter Eisenman**, quien en su proyecto de monumento a las víctimas del Holocausto en Berlín, recurre a una sensibilidad distinta con el fin de revelar la memoria de un lugar. Se trata de un proceso en el cual "el monumento deja de entenderse como un objeto y pasa a ser concebido como un cuerpo de complejas interrelaciones, que incluye las acciones llevadas a cabo en favor del monumento e incluso la misma lápida física".[8]
Eisenman se propone reconstruir toda una serie de interrelaciones que revelan un lugar concreto y una tragedia concreta de la historia del siglo XX. En este proyecto, el protagonista no es la memoria, sino las vícti-

smooth space through a modular grid that does not attempt to measure the landscape or make it regular, but is adopted as a rational system, "the peculiar system of rationality that distinguishes the European Holocaust from all the acts of genocide in history." [9]
The combination of the empty spaces varies according to the position of the body, expanding and contracting without apparent rules, in keeping with the movement of the observer.
The grid is composed of some 2,700 concrete columns, slightly inclined, with a height varying from 0.50 to 4 meters. Walking through the columns means crossing an apparently infinite landscape, or one that is impossible to control through complete experience. The first overall vision

EISENMAN ARCHITECTS, Memorial a las víctimas judías del holocausto, Berlín, Alemania, 1997.

EISENMAN ARCHITECTS, *Memorial to the Jewish Victims of the Holocaust*, Berlin, Germany, 1997.

mas del Holocausto presentes en un espacio que no queda delimitado, sino solamente desvelado mediante la acción de quienes contemplan la obra y el paisaje, en un auténtico proceso de revelación que se sumerge en la realidad. El momento de la fruición es importante, puesto que sitúa al observador en el presente, estableciendo una relación inextricable y necesaria entre el observador y el objeto observado, que pasan a constituir una sola entidad. El espacio crea una desestabilización del individuo, quien, a través del vacío artificial, vuelve a recorrer en el presente la pérdida del pasado. El espacio estriado se impone sobre el espacio liso mediante una malla modular que no pretende medir el paisaje ni regularizarlo, sino que se adopta como sistema racional, "el peculiar sistema de racionalidad que distingue el Holocausto europeo con respecto a todos los demás genocidios de la historia..."[9]

Las combinaciones de los vacíos inscritos varían con las variaciones de las posiciones de los cuerpos, dilatándose y contrayéndose sin ninguna regla, siguiendo el movimiento del observador.

La malla está compuesta de unas 2.700 columnas de hormigón ligeramente inclinadas, de una altura variable, desde 0,50 hasta 4 metros. Andar por entre las columnas significa atravesar un paisaje aparentemente infinito, o mejor, imposible de controlar mediante una experiencia completa. La primera visión de conjunto crea un efecto irreal en la mente del observador: es posible acercarse para comprender desde una distancia más próxima que es posible sumergirse en la tierra. Al principio, lenta-

creates an unreal effect in the mind of the observer, it is possible to go closer, to understand from nearby that it is possible to immerse oneself in the ground, the columns slowly reach our knees, then our thighs, our torso, our shoulders, until the body vanishes in the void left between the columns. Total immersion in the space forces the body to make careful movements that create a total isolation of the individual. It is impossible, in fact, to walk side by side. The internal void is created by the "absence of meaning inside the field of columns, [...] the spaces between them extend both vertically and horizontally, never identifying limits." [10] In the silence the sound of footsteps, the noise and the light reflected off the columns engage the senses, the void becomes an increasingly vivid presence, the city vanishes and we are alone, entering the space we become an indispensable part of it, we materialize the memory of an experience, the coldness of being taken away. The monument, the sculpture or architecture of this place, no longer makes sense, the space is the sole protagonist, it is the space that identifies the absence. The space cannot be possessed and possesses not, it is revealed through an action.

Eisenman manages to establish a dialogue with the landscape through architecture. Land Art has transformed the sculpture-object into construction of the territory through an expansion in the landscape and in architecture. This artscape is a thought, which through a system of actions and reactions of different kinds connects itself to a specific place. The artwork, like the object, loses meaning as construction of the territ-

mente, las columnas nos llegan hasta los muslos, luego hasta las piernas, luego hasta el busto, luego hasta los hombros, hasta hacer desaparecer todo el cuerpo en el vacío liberado entre las columnas. Sumergirse por completo en el espacio recogido obliga al cuerpo a unos movimientos prudentes que generan un aislamiento absoluto del individuo. De hecho, resulta imposible andar junto a otra persona. El vacío interior se crea por la "ausencia de significado en el interior del campo de columnas. Los espacios entre estas se extienden tanto en sentido vertical como horizontal y en ningún momento es posible identificar sus límites".[10] En el silencio, el ruido de los pasos, los murmullos y la luz reflejada por las columnas, todo ello implica a los sentidos. El vacío se convierte en una presencia cada vez más marcada, la ciudad desaparece; estamos solos. Al entrar en este espacio nos convertimos en parte insustituible del mismo, materializamos la memoria de una experiencia, la frialdad de los seres que se han ido. El monumento, la escultura o la arquitectura de este lugar dejan de tener sentido, el espacio es el único protagonista que permite identificar la ausencia. El espacio no puede ser poseído, como tampoco posee nada. El espacio es revelado por medio de una acción.
Eisenman ha logrado establecer un diálogo con el paisaje a través de la arquitectura.
El *land art* transformó el objeto escultórico en construcción del territorio mediante una expansión hacia el paisaje y hacia la arquitectura. El *artscape* es una idea que, a través de un sistema de acciones y de reacciones de distinta naturaleza, se vincula con un lugar

ory, but takes on value because it redefines a lost space, re-becoming architecture.
"The object is but one of the terms in the newer aesthetic. Another is the viewer, who is now bound into a more 'reflexive' exchange with the object, which, by virtue of its surrender of internal relationship (the complex play of size, surface, volume, material, color, and space; the traditional province of all sculpture, but particularly of its abstract form) has redefined the look." [11]
The work of **Mary Miss** has contributed to the redefinition of the term sculpture. Miss, in fact, does not construct objects but places, environments capable of engaging the observer, making reference to well-known structures, seeking to somehow share a common language. This creates the possibility for a new, not exclusively visual language. (Architecture has lost this ability, and in effect must re-attain it).
In Miss's constructions the possibility of inhabiting the forms seems to exist, as in *Perimeters/Pavilions/Decoys* (1978) and *Field Rotation* (1980), two of her most famous works. In both cases the excavations suggest the idea of a refuge, and the rough wood with which they are made makes them resemble true works of architecture.
Serra says that the reaction to the site is fundamental for those who work in relation to the landscape. "Mary Miss reacts directly to the earth, but she takes this theoretical premise two steps further, first by incorporating the earth and even the remains of a site in the project, and second by making the work physically accessible." [12]
Miss doesn't act in a condition of separateness with respect to the landscape; through

específico. La obra de arte, al igual que el objeto, pierde su significado en tanto que construcción del territorio, pero adquiere su valor por el hecho de que redefine un espacio perdido que, de ese modo, vuelve a convertirse en arquitectura.
"En la estética más reciente, el objeto es tan sólo uno de los términos en juego. El otro término es el observador, que ahora está llamado a un intercambio más 'reflexivo' con el objeto de que, en virtud de la renuncia a la relación interna (el complejo juego de lugar, superficie, volumen, material, color y espacio; el tradicional terreno de toda la escultura, en particular la abstracta), ha redefinido la mirada".[11]
El trabajo de **Mary Miss** ha contribuido a la redefinición de la palabra "escultura". En realidad, Miss no construye objetos, sino lugares; ambientes capaces de implicar al observador relacionándolo con unas estructuras conocidas, es decir, intentando compartir de algún modo un lenguaje común. De ese modo se abre la posibilidad de un nuevo lenguaje, no solamente visual (la arquitectura ha perdido esta capacidad y efectivamente debe recuperarla).
En las construcciones de Miss parece posible habitar las formas, como ocurre en *Perimeters\Pavilions\Decoys* (1978) y en *Field Rotation* (1980), dos de sus obras más conocidas. En ambos casos, las profundas excavaciones sugieren la idea de un refugio y la madera tosca con que se han realizado, provoca que parezcan auténticas arquitecturas.
Richard Serra afirma que la reacción ante el emplazamiento es fundamental para quien trabaja en contacto con el paisaje.
"Miss reacciona directamente ante la tierra,

manipulation of the earth she achieves a total integration between form and context. And the observer is also changed, no longer a defined figure, no longer a visitor to an art gallery in search of aesthetic experiences, but simply a passer-by in that given place, the site of the work.
"Experience of art must be direct. Today the audience lives in a world of electronic communication (which, perhaps, attenuates or discourages direct experience). And so the image of art, conveyed by the media, remains historical. Art, in short, is something to label and then set aside... The importance of real experience as opposed to reproductions and simulations, a need recognized by marginal cultures, is difficult to establish today. An immediate spatial experience, but of historical character, is often possible in local architecture, in historic cities, in gardens and so on. The problem is how to reintroduce it in the constructed world in which we live, how to address the contemporary using the imagery and the vocabulary of the environment around us." [13]
Her link with architecture is very strong, not only for the hints of the possibility of inhabiting the spaces, but especially due to the sense of expectation they contain. A sense based for the most part on as yet incomplete structures, on implied or suggested space. Images evoked above all through the use of the typical materials of architecture, and a familiar language. "I have always found it very stimulating to connect the known and the unknown," [14] and her work is located precisely in this physical or emotional space, between the tangible and the cerebral.

pero a este presupuesto teórico le hace dar dos pasos más hacia adelante: primero, incorporando la tierra al proyecto, y algunas veces, además, los restos de un emplazamiento; segundo, haciendo que la obra sea físicamente accesible".[12]
Mary Miss no actúa en contraposición al paisaje, sino que mediante la manipulación de la tierra alcanza una integración total entre la forma y el contexto. En consecuencia, incluso el observador ha cambiado, ha dejado de ser una figura definida, de hecho, ha dejado de ser el habitual que acude a las galerías en busca de experiencias estéticas: ahora es simplemente cualquiera que se encuentre de paso por aquel lugar concreto.
"La experiencia del arte tiene que ser directa. En la actualidad el público vive en un mundo de comunicación electrónica (que tal vez atenúa o desalienta la experiencia directa). Mientras tanto, la imagen del arte, vehiculada por los *media,* sigue siendo histórica. En definitiva, el arte es algo que debe etiquetarse y luego apartarse [...]. La importancia de la experiencia real respecto a las reproducciones o las simulaciones, una necesidad reconocida por las culturas marginales, resulta difícil de fijar en la actualidad. Una experiencia espacial inmediata, pero de carácter histórico, es a menudo posible en la arquitectura local, en las ciudades históricas, en los jardines, etc. El problema reside en cómo volverla a introducir en el mundo construido donde vivimos, de qué modo hablar a la contemporaneidad utilizando la imaginería y el vocabulario del ambiente que nos rodea".[13]
Su vínculo con la arquitectura es muy fuerte, no sólo por sus alusiones a la posibilidad

"How am I different from a landscape architect? The only answer I can give is that at the center of my work lies the direct experience of the observer – attempting to give the place an emotional content." [15]
Mary Miss has progressed from works in isolated sites to urban projects, and her practice of producing real places must come to terms with the possibility of memory. In these situations the projects frame already constructed places, calling attention to what was previously overlooked. "Here the work exploits the constantly changing conditions of the environment it redesigns to keep it active." [16] What is shown is everyday life, offering the observer the opportunity to examine certain details from an unusual vantage point.

de habitar los espacios, sino especialmente por el sentido de expectativa que dichos espacios conllevan. Se trata de un sentido que se refiere en gran medida a unas estructuras a medio terminar, al espacio implicado o sugerido. Las imágenes se deben especialmente al uso de materiales habituales de la arquitectura y a un lenguaje conocido. "Siempre he encontrado muy estimulante vincular lo conocido a lo desconocido".[14] Y es precisamente en este espacio físico, por muy emotivo que sea, donde se sitúa su trabajo, entre lo tangible y lo cerebral. "¿En qué aspecto soy distinta de un arquitecto del paisaje? La única respuesta que puedo dar es que en el centro de mi trabajo está la experiencia directa del observador, por lo que intento otorgar al lugar un contenido emotivo".[15]
Mary Miss pasó, de trabajar en emplazamientos aislados, a proyectos urbanos donde su intención de producir lugares reales se confrontaba con las posibilidades de la memoria. En estas situaciones, sus proyectos enmarcan lugares ya construidos y reclaman la atención sobre todo aquello que al principio pasaba desapercibido. "Aquí, la obra disfruta de las condiciones constantemente cambiantes del ambiente que rediseña, con el fin de mantenerlo activo".[16] Lo que muestra es la vida cotidiana, algunos de cuyos detalles inusitados se ofrecen al observador para que tenga la oportunidad de examinarlos.

MARY MISS, ***Perimeters/Pavilions/ Decoys,*** **Nassau County Museum, Nueva York, 1978.**

MARY MISS, *Perimeters/Pavilions/ Decoys,* Nassau County Museum, New York, 1978.

Mary Miss

Proyecto Jyväskylä, Finlandia, 1994

Jyväskylä Project, Finland, 1994

Esta instalación está formada por unas jofainas ancladas, en unos casos a la base de unos pinos y hundidas en los surcos del suelo, o en otros, evidenciadas por ligeros movimientos de tierras. Recogen el agua de la lluvia formando unas piscinas naturales que reflejan la luz, al tiempo que subrayan la linealidad de los árboles a los cuales están atadas. Este proyecto constituye un ejemplo perfecto del posicionamiento aparentemente ambiguo del arte de Mary Miss. El conjunto de la construcción, con sus planos elevados de agua quieta, confiere al suelo del bosque un aspecto extrañamente arquitectónico. No podemos menos que preguntarnos si estas jofainas llenas de agua tienen una finalidad precisa: ¿recogen el agua para el riego?, ¿son abrevaderos?, ¿se trata tan

This installation is composed of basins attached to the base of pine trees and sunk in the furrows of the ground, or indicated by slight reshapings of the earth. They collect rainwater and form natural pools that reflect light, while at the same time emphasizing the linear form of the trees to which they are attached. This project is a perfect example of the apparently ambiguous position of the art of Miss. As a whole the construction, with its raised planes of still water, gives the forest floor a strangely architectonic quality. One cannot help but wonder whether these basins filled with water have a precise purpose, such as irrigation, or as drinking troughs for animals, or whether they are simply the water-filled foundations of some construction yet to be completed. The series of canals blends

sólo de los cimientos llenos de agua de alguna construcción que va a realizarse? La serie de canales se funde con el paisaje y se lanza hacia los límites de la lejana ciudad, sugiriendo una transición entre lo natural y lo artificial.

with the landscape and extends toward the limits of the city in the distance, suggesting a transition between the natural and the artificial.

Mary Miss

Universidad de Houston, EEUU, 1997

Houston University, USA, 1997

En esta intervención, Mary Miss trabaja con las condiciones ambientales existentes, incorporando al contexto algunos elementos existentes. El elevado grado de abstracción se ha reemplazado por cierto número de citas directas de aquello que ya existe. Se han introducido sillas en alusión a la costumbre difundida en el barrio de sacar las sillas al aire libre. Lógicamente, las nuevas sillas no son idénticas a las antiguas, pero en realidad amplifican su presencia jugando con las dimensiones. Algunas de ellas son demasiado grandes o demasiado pequeñas

In this project Miss works with existing environmental conditions, incorporating existing elements in the context. The level of abstraction has been replaced by a certain degree of direct citation of what already exists. The chairs have been introduced as an allusion to the widespread habit in this area of placing chairs outdoors. Naturally the new chairs are not identical to the old ones, but actually amplify their presence, playing with size. Some are too large or too small to be used for sitting. The chairs are there to remind us that the area was once a neighborhood, full of life.

para poder sentarse en ellas. Las sillas están allí para recordar que antaño dicha zona fue un barrio lleno de vitalidad. La intervención construye un paisaje que es al mismo tiempo lugar y teatro de la vida, así como manifestación cultural de los acontecimientos que lo han determinado. Es un fenómeno interior de la evolución reciente de lo vivo, así como una manifestación de dicho proceso.

Miss produces a landscape that is simultaneously a place and theater of life, and a cultural manifestation of the events that have determined it; a phenomenon inside the recent evolution of the living, and the very manifestation of that process.

Massimiliano Fuksas

Acceso a la cueva; Museo de Pinturas Rupestres, Niaux, Francia, 1993

Cave Painting Museum. Entrance to the Grotto, Niaux, France, 1993

El gobierno regional del Departamento de Ariège quería tanto sacarle el mayor partido al lugar como crear un símbolo como testimonio de su significado histórico a la cueva de Niaux.
El proyecto se basa en la necesidad de crear un punto de recibimiento para los visitantes al tiempo que un trayecto fácil entre el nivel de acceso del aparcamiento y el acceso a la cueva que aloja las pinturas rupestres que datan de la era magdaleniense (11.000 a. d. C.). Dos grandes alas de acero cortén delimitan el espacio de una plataforma que parece aflorar de la montaña. La estructura asume la doble función de indicar la entrada a la cueva, pasando a ser parte integrante del paisaje, y, en el interior, proteger a los visitantes que están en contacto con el lugar a través de cortes verticales sobre las grandes planchas de acero.
El espacio entre las alas se comprime y dilata amplificando la sensación corpórea de los visitantes. Fuksas abandona el funcionalismo de la tipología requerida en las bases del concurso y se adentra en el territorio de la escultura para crear un espacio capaz de tener una presencia matérica, como si fuera un hinchazón natural de la cueva.

The Niaux grotto dates back to prehistoric times. The regional council of the Ariège Department wanted both to set the site off to best advantage and to create a symbol as a testimony to its historical significance.
The project is based on the need to create a reception point for the public, as well as easy routing between the car-park access level and that of the entrance to the grotto housing cave paintings dating from the Magdalenian era (11,000 B.C.).
Two huge wings of Corten steel delimit the space of a platform that appears to surge forth from the mountainside. The structure has the twin function of indicating the entrance to the cave, becoming an integral part of the landscape and, inside, of protecting visitors coming into contact with the site by means of vertical incisions in the enormous steel plates.
The space between the wings is compressed and dilates, adding to the bodily sensations of the public. Fuksas foregoes the functional typology called for in the competition guidelines in order to create a space capable of engendering a physical presence, as if it were a natural swelling of the cave.

Objetos en el paisaje
Objects in the landscape

Encontramos las mismas sugestiones que generan las obras de Mary Miss en un grupo heterogéneo de arquitectos que se proponen redefinir lugares diversos, pero siempre vinculados a la tradición vernácula, dentro de parques públicos y privados. El tema es la creación de unas estructuras capaces de estar en contacto con la idea de la casa con jardín. Cada una de las intervenciones redefine el límite que separa una escultura del objeto arquitectónico. "Muchas de ellas son deliberadamente referenciales, no a modo de pastiche posmoderno, repleto de detalles históricos estilizados, sino porque cuestionan y distorsionan las formas originales".[17]

The same suggestions created by the works of Mary Miss can be found in those of a heterogeneous group of contemporary architects who attempt to redefine different places, but always linked to the vernacular tradition, inside public and private parks. The theme is that of creating structures capable of making contact with the idea of the Garden House. Each project redefines the borderline between sculpture and architectural objects: "Many are deliberately referential, not in the pastiche postmodern manner of stylized historic detailing but in questioning or distortion of original forms." [17]

MVRDV

Cabañas en el Parque Nacional Hogue Velvewe, Holanda, 1994-1996

National Hoge Velvewe Park Lodges, The Netherlands, 1994-1996

Han construido en el Hogue Velvewe Park de Holanda un objeto escultórico que sugiere la forma arquetípica de una casa. Cuando está abierto constituye una arquitectura con una función específica. Cuando está cerrado es una escultura inmersa en el paisaje. "La arquitectura de los edificios históricos del parque se refleja en la cabaña de Otterlo, de ladrillo y hormigón, mientras que las cabañas de Hoenderloo y Rijzenburg hacen referencias respectivamente, en el uso del acero cortén, y al entorno natural en la madera".[18]

MVRDV in Holland construct a sculptural object that suggests the archetypal form of the house. When open it is a work of architecture with a specific function; when closed, a sculpture immersed in the landscape. "The architecture of the historic buildings in the park is reflected in Otterlo lodge's brick and concrete construction; while the Hoenderloo and Rijzenburg lodges, respectively, refer to modern art, through the use of steel, and the natural setting, through wood." [18]

Parque arquitectónico de Copenhague, 1995

Copenhagen Architecture Park, 1995

En 1996, un grupo heterogéneo de arquitectos internacionales es invitado a reinterpretar la casa colonial con jardín, con ocasión del primer parque de arquitectura de Copenhague, mediante el proyecto de una estructura de 6 metros cuadrados que deberá colocarse en él.

"El recinto de vidrio propuesto por Dominique Perrault puede ser transparente u opaco dependiendo del efecto que se desee. El terreno y el árbol que están en el interior representan la propiedad de la tierra, aunque también puede percibirse como entronización de la naturaleza, una valoración del bosque en sí mismo, más que la contribución humana que se encuentra en él.

Mikko Heikkenen y Markku Komonen establecieron en su estructura un diálogo entre opuestos: luz frente a oscuridad, cerrado frente a abierto, dureza frente a suavidad. Los dos sólidos cubos de tablas pueden referirse también a la tierra y el cielo: una caja de madera pintada de oscuro, debajo de una terraza en la cubierta con cerramiento de tela blanca y abierta al cielo".[19]

In 1996 a varied group of international architects was invited to reinterpret the garden colony house for the first architecture park in Copenhagen, with a project for a structure with an area of 6 square meters to be inserted in the park.

"Dominique Perrault's glass-walled enclosure can be transparent or opaque depending on the desired effect. The plot and the tree inside represent the ownership of land, yet it might also be preceived as nature enshrined, an appreciation of the woodland setting itself, rather than humans building within it.

Mikko Heikkinen and Markku Komonen from Finland made the structure a dialogue of opposites: light versus dark, closed versus open, hard versus soft. The two stacked solid cubes might also refer to earth and sky, with one dark-painted wood box below a roof terrace that has white fabric walls and is open to the sky." [19]

Mario Botta

Dominique Perrault

Heikkenen/ Komonen

Hiroshi Nakao

Pabellones móviles Black Maria y Gisant/Transi, Karvizawa, Japón, 1994

Black Maria and Gisant/Transi mobile pavilions, Karvizawa,

La luz, la forma y el movimiento son los elementos mediante los cuales Hiroshi Nakao busca una relación con el paisaje, llegando a una condición espacial ambigua mediante un número limitado de materiales y una serie infinita de movimientos. A partir de la concepción de “el espacio interior, la naturaleza de sus límites y el juego con la luz del interior”,[20] estas dos estructuras indagan las ideas de apertura y de cerramiento, modulando la relación entre el interior y el exterior. En función de la posición de cada una de las partes, los pabellones resultantes pasan de ser arquitecturas a ser objetos escultóricos perfectamente integrados en el paisaje circundante. Esta idea de agujero de luz proporciona una visión más amplia, que es la que tomó Nakao. *Black Maria* es un pabellón pensado como el diafragma de una cámara fotográfica. El espacio habitable se dilata y se contrae en torno a la luz. Gisant/Transi se organiza en torno a la oscuridad, y explora las ideas de apertura y cerramiento.

Light, form and movement are the elements through which Hiroshi Nakao attempts to establish a relationship with the landscape, finding an ambiguous spatial condition with a limited number of materials and an infinite series of movements. From the conception of “the interior space, the nature of its boundaries and the play of light within”[20] these two structures explore the idea of opening and closing, modulating the relation between interior and exterior. The pavilions thus conceived, in keeping with the position of the single parts, are transformed from works of architecture into sculptural objects, perfectly integrated with the surrounding landscape. Nakao utilizes the idea of a hole of light that offers a wider vision. Black Maria is a pavilion conceived like the diaphragm of a camera; the inhabitable space dilates and contracts around the light. Gisant/Transi is organized around darkness, and explores the idea of opening and closing.

Allied Works Architects

Mirador de Maryhill,
Washington, EEUU, 1999

Maryhill Nature Overlook,
Washington, USA, 1999

Al igual que en el trabajo de *The Next Enterprise*, el tema de los límites de lo habitable constituye un pretexto para reflexionar sobre la división estética entre arte y arquitectura, entre un edificio y una escultura, entre lo natural y lo artificial. Una plataforma de hormigón se pliega siguiendo la superficie del terreno, dando lugar a un objeto dispuesto para la observación del paisaje, una terraza abierta-cerrada colocada sobre el terreno árido del cañón del río Columbia, o bien en medio del desierto. El objeto en sí sugiere más la idea de un espacio abierto que la de un pabellón cerrado, aunque el repliegue vertical del plano cierra siempre, por lo menos una visual y protege al observador en un continuo de situaciones espaciales. La planta y la sección muestran las configuraciones de las nueve losas y los ocho muros de hormigón, formando un sistema de estancias abiertas. "Desde algunos puntos estratégicos se crea una sensación de espacio habitable, mientras que, desde otros, la construcción casi desaparece en el paisaje… creando límites y aberturas para el espacio y la luz, en un paisaje virtualmente infinito […], y surgen del propio paisaje como una audaz estructura tectónica con su propia caligrafía; esta forma robusta y desafiante es una llamada lejana contra las *follies* de los amanerados jardines románticos ingleses. Quizá sea esta la frontera más importante que establece".[21]

The theme of the inhabited boundary, as in the work of *The Next Enterprise*, is an opportunity to reflect on the aesthetic division between art and architecture, building and sculpture, natural and artificial. A concrete platform bends, following the contours of the terrain, creating an object for observation of the landscape, an open/closed terrace on the arid land of the Columbia River Gorge, or in the middle of the desert. The object in itself conveys more the idea of an open space than that of a closed pavilion, but the vertical bending of the plane always closes off at least one visual, protecting the observer in a continuity of spatial situations. The plan and section show the configurations of the nine concrete slabs and eight concrete walls, a system of open rooms. "From some vantage points a sense of habitable space is created, yet from others the construction almost disappears into the landscape beyond … creating boundaries and apertures for space and light in a virtually boundless landscape. […] Emerging from the landscape as a bold tectonic with its own calligraphy, this robust and challenging form is a far cry from the *follies* perched in romantic manicured English gardens, a difference that represents perhaps the greatest divide of all." [21]

[1] KRAUSS, ROSALIND E., *Passages in Modern Sculpture*, The MIT Press, Cambridge (Mass.), 1981; (versión castellana: *Pasajes de la escultura moderna*, Akal, Madrid, 2002.
[2] SERRA, RICHARD, en *Richard Serra* (catálogo exposición homónima en los Mercados Trajanos de Roma), West Zone Publishing, Dorchester, 1999.
[3] SERRA, RICHARD, *op. cit.*
[4] PACQUEMENT, ALFRED, "Entrevista a Richard Serra", en *Richard Serra*, Centre Georges Pompidou, París, 1983.
[5] "La posición del Gobierno decretada por los tribunales era que, como consideración preliminar, Serra había vendido su 'discurso' al Gobierno [...] y entonces, su 'discurso' había pasado a ser propiedad del mismo en 1981, cuando se le pagó por su trabajo [...]. Los derechos de propiedad de un propietario de un objeto físico le permiten poseerlo, usarlo, eliminarlo. Una afirmación increíble por parte del Gobierno, en tanto que afirmaba su empeño en los conflictos de la propiedad privada, por encima de los intereses del arte o de la libre expresión. Esto quiere decir que si el Gobierno posee un libro, puede quemarlo; si ha comprado su 'discurso', puede mutilarlo, modificarlo, censurarlo e incluso destruirlo. El derecho a la propiedad supera todos los derechos". Texto leído en Des Moines Art Center, Houston (Texas), el 25 de octubre de 1989, en *Richard Serra*, 1999, *op. cit.*
[6] PACQUEMENT, ALFRED, *op. cit.*
[7] *Ibíd.*
[8] ROCKER, INGEBORD M., "Ricordare, conservare, interrogarsi: il monumento per l'olocausto a Berlino", en GALOFARO, LUCA (ed.), *Peter Eisenman (I quaderni dell'industria delle costruzioni)*, Roma, 1998.
[9] *Ibíd.*
[10] *Ibíd.*
[11] WAGNER, A. M., introducción al libro: BATTCOCK, GREGORY (ed.), *Minimal Art*, University of California Press, Berkeley, 1995.
[12] ZAPATKA, CHRISTIAN, *Mary Miss*, Motta, Milán, 1996.
[13] NEVIS, DEBORAH, entrevista con Mary Miss, en *Princeton Journal*, 2, 1985.
[14] *Ibíd.*
[15] *Ibíd.*
[16] *Ibíd.*
[17] RICHARDSON, PHYLLIS, *XS: Big Ideas in Small-Scale Buildings*, Thames & Hudson, Londres, 2001; (versión castellana: *XS: Grandes ideas para pequeños edificios*, Editorial Gustavo Gili, Barcelona, 2002[2]).
[18] *Ibíd.*
[19] *Ibíd.*
[20] *Ibíd.*
[21] *Ibíd.*

[1] KRAUSS, ROSALIND E., *Passages in Modern Sculpture*, The MIT Press, Cambridge (Mass.), 1981.
[2] *Richard Serra* (exhibition catalogue, Mercati di Traiano, Rome), West Zone Publishing, Dorchester, 1999.
[3] *Ibid.*
[4] SERRA, RICHARD interviewed by ALFRED PACQUEMENT, from *Richard Serra* (exhibition catalogue), Centre Georges Pompidou, Paris, 1983.
[5] "The position of the government, as decreed by the courts, was that as a preliminary consideration, Serra had sold his 'discourse' to the government [...] and therefore his 'discourse' had become the property of the government in 1981, when he was paid for his work. [...] The rights of ownership of the proprietor of a physical object [allow him] to possess it, use it and eliminate it. An incredible statement on the part of the government. If only because it declares the commitment of the government to private property, over and above the interests of art and free expression. This means that if the government owns a book it can burn it; if the government has purchased his discourse it can mutilate it, modify it, censor it or even destroy it. The right of property takes precedence over all other rights." Text read at the Des Moines Art Center, Houston (Texas), 25 October 1989, in *Richard Serra*, *op. cit.*
[6] *Ibid.*
[7] PACQUEMENT, ALFRED, *op. cit.*
[8] ROCKER, INGEBORG M., "Ricordare, conservare, interrogarsi: Il monumento per l'olocausto a Berlino", in GALOFARO, LUCA (ed.), *Peter Eisenman (Quaderni dell'industria delle costruzioni)*, Rome, 1998.
[9] *Ibid.*
[10] *Ibid.*
[11] WAGNER, ANNE M., introduction to BATTCOCK, GREGORY (ed.), *Minimal Art*, University of California Press, Berkeley, 1995.
[12] ZAPATKA, CHRISTIAN, *Mary Miss*, Motta Architettura, Milan, 1996.
[13] MARY MISS, interview with Deborah Nevins, in *Princeton Journal*, 2, 1985.
[14] *Ibid.*
[15] *Ibid.*
[16] *Ibid.*
[17] RICHARDSON, PHYLLIS, *XS: Big Ideas in Small-Scale Buildings*, Thames & Hudson, London, 2001.
[18] *Ibid.*
[19] *Ibid.*
[20] *Ibid.*
[21] *Ibid.*

“El arte exige riesgo, no moderación. Los artistas se han reservado siempre el derecho a utilizar tácticas extremas, a vivir del desequilibrio. Sin esas personas que desean llegar hasta el límite no habría progreso en el mundo: ni novelas que sacudieran la tierra, ni cuadros, ni rascacielos”.

DAVID KNOWLES, *The Third Eye,* Bloomsbury Publishing, Londres, 2000

“Art demands risks, not moderation. Artists have always reserved the right to use extreme tactics, to live off-balance. Without those willing to test the edge there would be no progress in the world, no earth-shattering novels, paintings or skyscrapers.”

DAVID KNOWLES, *The Third Eye,* Bloomsbury Publishing, London, 2000

Paisajes en transformación
Transforming landscape

En la actualidad, la intervención en el paisaje es una necesidad que da forma a la cultura moderna.
El paisaje y el arte se han convertido en instrumentos con los cuales es posible representar una idea de espacio que involucre la mente y el cuerpo. *Artscape* es un medio innovador capaz de dislocar los aspectos más convencionales de una sociedad, al tiempo que los reorganiza. Para que esto se produzca, el paisaje no debe concebirse como un objeto o un escenario, sino como un sistema activo directamente relacionado con la acción. *Artscape* enfatiza la actividad de proyectar y el efecto de construir el paisaje, relacionándolos con el tiempo. La arquitectura debe empezar a utilizar los métodos propios del arte más conscientemente, mediante un sistema referencial directo.

Intervention in the landscape today is a necessity that gives form to modern culture.
The landscape and art become instruments through which it is possible to represent an idea of space that involves the mind and the body. Artscape is thus an innovative medium that can reposition the most conventional aspects of a society while at the same time reorganizing them.
For this to happen the landscape should not be seen as an object or a stage, but as an active system directly connected to the intervention. The artscape makes the activity of designing and the effect of constructing the landscape more emphatic, relating them to the element of time. Architecture must begin to use the methods of art in a more conscious way, through a direct referential system.

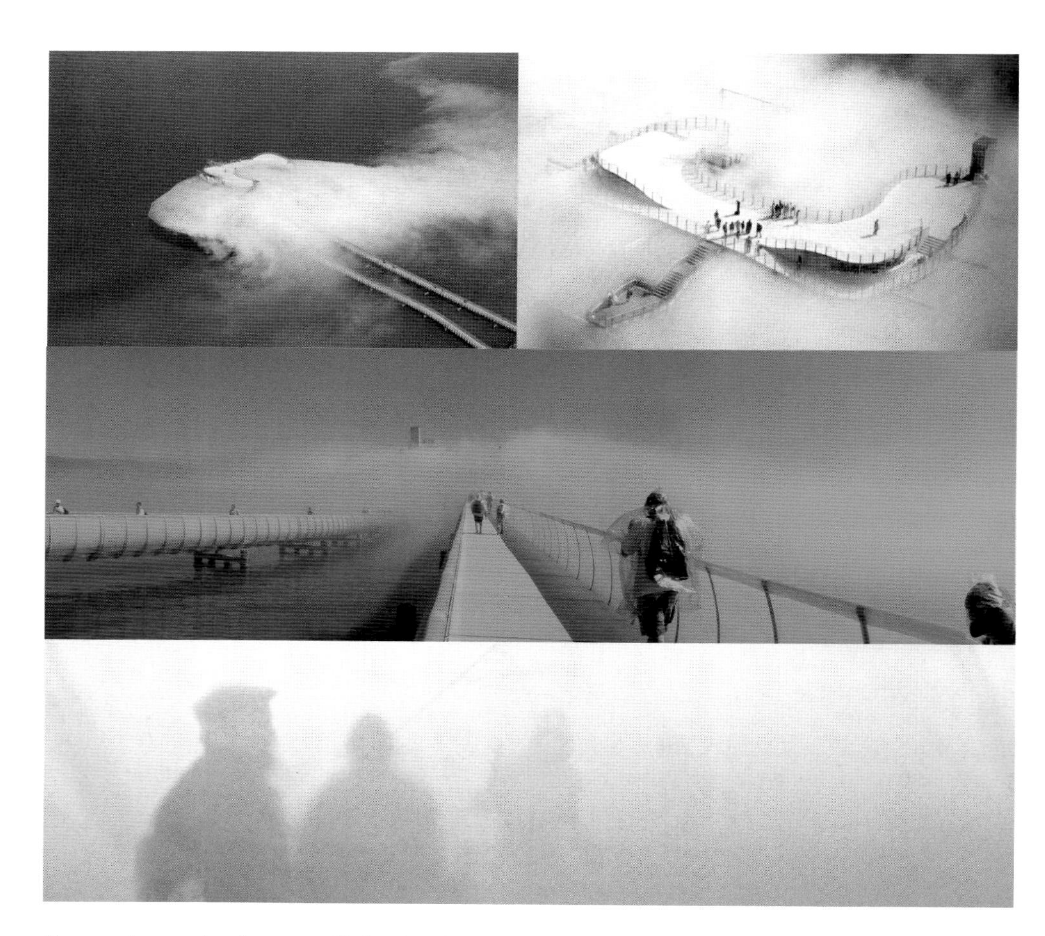

Esto está ocurriendo ya en Holanda, donde, como ha escrito Bart Lootsma, el paisaje ha asumido un papel táctico en la formación de los nuevos proyectos urbanos. "En este sentido, el paisaje es un medio de intercambio en progreso, un medio incorporado y desarrollado en el contexto de las prácticas imaginativas y materiales de distintas sociedades en distintos tiempos".[1]

This is already happening in Holland where, as Bart Lootsma describes it, the landscape has now assumed a tactical role in new urban projects. "In this sense, landscape is an ongoing medium of exchange, a medium that is embedded and has evolved within the imaginative and material practices of different societies at different times."[1] Land Art was one of the methods through

DILLER + SCOFIDIO,
***Blur*, Expo 02, Neuchâtel,**
Suiza, 2002.

DILLER + SCOFIDIO,
***Blur*, Expo 02, Neuchâtel,**
Switzerland, 2002.

El *land art* constituyó uno de los métodos mediante los cuales se inició la recuperación del paisaje y su consideración como lugar de la acción. El papel que en el pasado tuvieron artistas como Michael Heizer, Christo & Jeanne-Claude, Robert Morris o James Turrell está ahora en manos de arquitectos como Diller & Scofidio, West 8 o Foreign Office Architects, para quienes el paisaje se ha convertido en un material de construcción y, al mismo tiempo, en el lugar donde lo natural y lo artificial componen una nueva materialidad a través de un desenfoque de los instrumentos operativos. "Confundir las cosas es hacerlas indistintas [...]. Es igualarlas con lo dudoso",[2] afirma Elisabeth Diller. Materialmente, el desenfoque es un efecto tomado de la fotografía o de la pintura futurista, un efecto especial presente en muchas videocámaras y programas de edición, tomado del arte y codificado por la tecnología: "el arte de construir el 'des-énfasis'".[3] El reto consiste en comprender su significado en arquitectura, evitando el efecto formal y experimentando con su corporeidad.
Blur Pavilion para la Exposición Suiza del 2002 representa precisamente este intento de experimentación. Se trata de un proyecto y de una reflexión sobre las potencialidades del desenfoque en la arquitectura, un proyecto que actúa a escala territorial. En él, el paisaje no es el fondo, sino un material con el que es posible construir un edificio que puede utilizarse y vivirse. El *Blur Building* es una nube suspendida sobre el lago Neuchâtel, en la pequeña ciudad de Yverdon-les-Bains. Es una arquitectura inmaterial que funde naturaleza y artificio. Mide

which recovery of the landscape and its status as a place of action began. The role played in the past by artists like Michael Heizer, Christo & Jeanne-Claude, Robert Morris and James Turrell is now played by architects such as Diller & Scofidio, West 8 or Foreign Office Architects, according to whom landscape becomes a construction material and, at the same time, a place where the natural and the artificial give rise to a new materiality through an "unfocusing" of the operative instruments. "To blur is to make indistinct [...] it is equated with the dubious,"[2] says Elisabeth Diller. In material terms blurring is an effect achieved by Futurist painting or photography, a special effect included in many video cameras and editing programs. An effect achieved by art and encoded by technology, "the art of constructing de-emphasis."[4] The challenge is to understand its meaning in architecture, avoiding the formal effect and experimenting with concrete volume. The *Blur Pavilion* for the Swiss Expo.02 is precisely such an experiment, a project and reflection on the potential of blurring in architecture implemented on a territorial scale. In this project the landscape is not a backdrop but a material through which to construct an edifice that can be utilized and experienced. The *Blur Building* is a cloud suspended over Lake Neuchâtel in the small city of Yverdon-les-Bains. An immaterial architecture that fuses nature and artifice, 300 feet wide by 200 feet deep, hovering 75 feet over the lake. The cloud is formed by nebulized lake water shot like a fine mist through nozzles built into the structure of the platform, thanks to a high-pressure pump. The fog

91,5 metros de anchura por 61 metros de profundidad, y flota a 23 metros de altura por encima del lago. La nube está formada por agua vaporizada del lago, pulverizada como una fina neblina por medio de unos canutillos integrados en la estructura de la plataforma, mediante un chorro de agua a alta presión. El sistema está compuesto por 12.500 pulverizadores separados entre sí 1,2 metros, dirigidos en todas direcciones a lo largo de 24 kilómetros de conductos. A diferencia de la niebla matutina que se dispersa con el paso de las horas, esta nube permanece en la atmósfera. Es una forma dinámica que cambia constantemente de dimensiones en función de la humedad, de la dirección del viento y de su velocidad. El público puede acercarse a ella desde la playa a través de una rampa peatonal. Al entrar en ella, el contexto desaparece poco a poco hasta una absoluta ausencia de estímulos. Sólo queda un efecto visual acompañado por el murmullo del agua vaporizada. Los visitantes pueden subir por la rampa en espiral y llegar, como un avión que atraviesa un cúmulonimbo, hasta la cumbre del Bar del Ángel. A mitad de recorrido, el público puede repartirse por el núcleo central de comunicaciones: un vacío seco y oscuro, abierto al fragor de las olas, y definido por una pantalla circular de protección. En su interior cuelga una plataforma central para 250 personas, con 12 potentes videoproyectores colocados radialmente respecto al centro y coordinados para generar una imagen circular. La imagen panorámica se obtiene mediante la combinación de tomas de vídeo en directo y cintas registradas previamente. El videoprograma reinterpreta el pa-

system is composed of over 12,500 nozzles spaced 1.2 meters apart in every direction along 24 kilometers of plumbing. As opposed to the morning mist that vanishes as the day progresses, this cloud is a permanent one. A dynamic form that constantly changes its size in relation to humidity, wind force and wind direction. Observers can approach the cloud from the beach, on a pedestrian ramp. As one enters, the context vanishes, to the point of a total absence of stimuli. All that remains is a visual effect, accompanied by the pulsating sound of the nebulized water. Visitors can continue climbing the spiral ramp and emerge, like an airplane, above the cloud, at the Angel Bar. Halfway along the itinerary they can spread out in the central nucleus of the space of communications. This is a dry, dark void, open to the sound of the waves and defined by a circular projection screen. Inside, a central suspended platform can host 250 persons. 12 powerful video projectors are positioned radially with respect to the center, and connected in such a way as to produce a circular image. The panoramic image is obtained though the combination of live video and prerecorded tapes. The video program reinterprets the panorama of the 19th century through the filter of the 21st. Walking inside transforms the interference between nature and artifice into a material object, "to engage substance without form, and to stage a slow event." [4]
The construction of this edifice demonstrates how an installation or work of Land Art can become architecture. Just as in the *Lightning Field* of De Maria, we are faced with a work that represents a space not to be

norama del siglo XIX a través del filtro del siglo XXI. El acto de andar por este interior transforma la interferencia entre naturaleza y artificio en un objeto material destinado a "lograr una sustancia sin forma y organizar un acontecimiento lento".[4]
La realización de este edificio demuestra de qué modo una instalación o una obra de *land art* pueden convertirse en arquitectura. Exactamente igual que en el *Lightning Field* de Walter de Maria, nos encontramos frente a una obra que representa un espacio que no está hecho para ser observado, sino para ser vivido. La arquitectura casi siempre es estática, quieta, pegada al suelo. En este caso, el juego constante entre tecnología y naturaleza la ha vuelto dinámica.
Es como el mundo de las termas de Adriano, de los baños del Gellert Hotel de Budapest o de "aquellos lugares en los cuales el envolvimiento en el vapor era absoluto, y donde la ósmosis entre el cuerpo y el ambiente oscilaba constantemente, como si hubiese una molécula de agua en suspensión entre el vapor y la liquidez.
Arquitectura de nieblas y vapores... Niebla no sólo como condición atmosférica, sino más bien como experiencia ambiental, emocional, como sensación primaria".[5] En este edificio, la aproximación al acceso significa entrar en un campo completamente distinto en relación al campo representado en un sistema tradicional. Aquí hay que olvidar todas las referencias acústicas y visuales a las que estamos acostumbrados.
Percibimos un espacio natural, pero el propio murmullo nos aleja de la naturaleza. Lo real y lo virtual se funden en un paisaje donde emerge la voluntad de un arte que

observed, but to be lived. Usually architecture is static, firmly attached to the ground; in this case the constant play between technology and nature makes it dynamic.
As in the world of the Baths of Hadrian or those of the Gellert Hotel in Budapest, "of those places where the envelopment of the vapors was total, and the osmosis between the body and the place was in constant oscillation, like a water molecule suspended between vapor and liquid states.
Architecture of fogs and vapors [...]. Fog not only as an atmospheric condition, but also as an environmental, emotional experience, a primary sensation."[5] In this building approaching the entrance means entering a completely different field with respect to that represented in a traditional system.
Here one has to forget about all the acoustic and visual references to which we are accustomed. One perceives a natural space, but the sound distances us from nature. Real and virtual combine in a landscape where we can sense the intention of art to attempt to destabilize all customary references: "the project aims to create a technological sublime: to make palpable the unfathomable speed and reach of the data cloud."[6] Visitors must wear slickers to protect themselves from the mist. In the moment they begin to perceive their complete immersion in the landscape, they realize they are in the middle of a lake, in a media event that uses wireless transmission and the challenge of navigation.
The main intent of this project is to manage to pass from one material state to another. The blurring is not just figurative, i.e. that of managing to create an image. It is also

se propone desestabilizar cualquier referencia conocida. “El proyecto pretende crear un sublime tecnológico: hacer palpables el alcance y la velocidad insondables de la nube de referencia”.[6] Nos deberemos colocar impermeables para proteger nuestro cuerpo del agua vaporizada. En el instante en que empezamos a percibir que estamos completamente inmersos en el paisaje, descubrimos en medio de un lago un acontecimiento mediático que utiliza la transmisión sin cables y el reto de la navegación.
La intención principal del proyecto es lograr pasar de un estado de la materia a otro. El desenfoque no es sólo figurativo, sino sustancial, es decir, no se propone crear tan sólo una imagen. El desenfoque se produce también entre los sucesivos estados de la idea de proyecto. El arte, la arquitectura, la tecnología y el paisaje se funden en el proceso de evolución de una idea espacial.
Artscape es la creación de un proceso a lo largo del cual los constantes cambios de frente y de actitud buscan un diálogo con quienes deberán disfrutar la obra. En el interior del espacio se ha colocado una zona exenta de niebla donde se propone una forma distinta de comunicación, con unas cajas de cristal de seis caras separadas por un denso conjunto de abigarrados tablones de anuncios verticales. Lo que se produce es un intercambio de competencias entre la arquitectura construida y el mundo inmaterial de la red. A partir del momento en que la arquitectura se desmaterializa, el mundo de los *media* se vuelve físicamente tangible.
Los mensajes surgen de la nada, se proyectan sobre las cajas de cristal y luego desapa-

substantial, and it also happens through successive states of the design idea. Art, architecture, technology and landscape mingle in a process of evolution of a spatial idea. The artscape is the creation of a process where continuous changes of frontage and approach seek a dialogue with the users of the work. Inside the space there is a fog-free zone, where a different form of communication is proposed, with a six-sided glass box separated by a dense array of animated vertical LED signboards. What happens is an exchange of properties between constructed architecture and the immaterial world of the web, because the architecture is dematerialized, and the world of the media becomes physically tangible.
The messages appear from nowhere on the glass boxes and then slowly fade. The boxes become a 3D chat room, the messages sent by the participants climb the walls, while the responses descend downward.
After the platform visitors can climb up to the Angel Bar, where only water is served, of different types. The fascinating thing is how, in this case, the architecture attempts to show less and less, replacing the usual visual experience with a physical experience that impacts all the senses in a uniform way.
The tools of art, in fact, have surpassed any type of spectacle linked to vision, in favor of a different type of sensory involvement. The architecture seeks participation, not only through movement, but also through interaction with the designed space. This relation can change according to the time of day and the activity in question. “A range of movement is offered, from aimless wandering to curious, active ‘trawling’.”[7]

recen lentamente. Las cajas se convierten en un *chat room* tridimensional. Los mensajes enviados por los participantes suben por las paredes, mientras que las respuestas llueven hacia la parte inferior.
Una vez hemos dejado atrás la plataforma, podemos subir hasta el Bar del Ángel, donde tan sólo se sirve agua de distintas clases. Lo fascinante es que, en este caso, la arquitectura pretende mostrar cada vez menos y sustituir la experiencia visual por cierto tipo de experiencia física que emplea todos los sentidos de un modo uniforme. Efectivamente, los instrumentos del arte han superado cualquier tipo de espectáculo vinculado a la visión, en favor de una implicación sensorial distinta. La arquitectura busca una participación que no sólo está relacionada con el movimiento, sino también con la interacción con el espacio proyectado. Dicha relación puede cambiar en función de los distintos momentos del día, y también en función de las actividades. "Se ofrece una cadena de movimientos, desde el errabundeo sin intención hasta la incitación a la pesca minuciosa".[7]
La inmersión en este paisaje es algo completamente distinto de la vida en una arquitectura. A menudo, la naturaleza desorienta debido a la ausencia de referencias precisas, incluso dimensionales. Por el contrario, la arquitectura tiende a restituir constantemente las referencias, pretende transmitir seguridad. Entrar en *Blur* es como sumergirse en un paisaje definido por un medio "sin características, sin profundidad, sin escala, sin espacio, sin masa, sin superficie y sin contexto",[8] un *artscape*, un paisaje artificial capaz de implicar a los sentidos, y donde el arte y la

Immersion in the landscape is completely different from living in a work of architecture. Nature is often disorienting, due to a lack of precise references, also regarding size. Architecture, on the other hand, tends to constantly offer us references, attempting to create a sense of security. Entering *Blur* is like immersing yourself in a landscape defined by a medium, "one that is featureless, depthless, scaleless, spaceless, massless, surfaceless and contextless,"[8] an artscape, an artificial landscape capable of engaging the senses, where art and nature begin to structure an architecture capable of reinventing its role as a medium in society.
Landscape doesn't immediately disorient in the moment we begin to observe it; the disorientation is structured through direct experience. The same thing happens in *Blur*. The only way to know your precise position is through the slicker supplied to visitors upon entry. The body, thanks to a portable CPU and integrated tracking and sound technologies, is the reference point of the experience, getting lost is not possible, the control of disorientation becomes a new experience, because the edifice recognizes your body. "The electronics embedded in the skin of the coats electronically extend the body's natural system of navigation. Rather than rectifying the loss of vision, the coat acts as an acoustic prosthesis to supersensitize the sense of hearing."[9] In this artificial landscape every movement is mapped, recorded and reported through sound, "intelligible words and sounds in the babble can be discovered by following invisible axes."[10] In this way each visitor becomes an acoustic interface for the audio database, "the audio

naturaleza empiezan a estructurar una arquitectura capaz de reinventar su papel de medio de comunicación en la sociedad.
El paisaje no desorienta de inmediato, a partir del momento en que empezamos a observarlo. La desorientación se estructura a través de la experiencia directa; lo mismo ocurre en *Blur*.
El único modo de identificar la propia posición es mediante el impermeable que se entrega a los visitantes antes de entrar. Por medio de una CPU portátil, con registradora integrada y tecnologías sonoras, el cuerpo se convierte en el punto de referencia de la experiencia. Resulta imposible perderse. El control de la desorientación se convierte en una nueva experiencia, puesto que el edificio reconoce el cuerpo. “Los aparatos electrónicos incorporados a la piel del impermeable amplían el sistema de navegación natural del cuerpo. Más que compensar la pérdida de visión, el impermeable funciona como una prótesis acústica para hipersensibilizar el sentido del oído”.[9] En este paisaje artificial, cada movimiento queda cartografiado, registrado y restituido por medio del sonido. “Podemos identificar palabras y sonidos inteligibles en medio del murmullo siguiendo unos ejes invisibles”.[10]
De ese modo, cada visitante se convierte en una interfaz sonora para la base de datos acústica. “La base de datos acústica cambiará dinámicamente a medida que los visitantes vayan dejando huellas sonoras tras ellos, las cuales se irán incorporando al murmullo”.[11]
El sonido revela el espacio del cuerpo y de sus movimientos. La niebla delimita el espacio del movimiento y se integra con el paisaje siendo ella misma paisaje. La tecnología

database will change dynamically as visitors leave acoustic traces behind that are incorporated into the babble.”[11]
The sound reveals the space of the body, of its movements, the fog defines the space of the movement and blends with the landscape, becoming the landscape itself.
Technology is the space of the virtual, capable of defining an immaterial borderline.
Architecture is the synthesis of an artistic thought capable of restoring value to the action and the movement, breaking them down into traces to be followed. The navigator is the narrator of this artificial landscape. Sound accompanies you everywhere, at all times.
An Expo speaks of the present and forecasts a future: “the pavilion, capable of articulating a compelling image of the future, is therefore understood as a serious contender to inherit the future.
Landscape is not the environment. The environment is the factual aspect of a milieu: that is, of the relationship that links a society with space and with nature. Landscape is the perceptible aspect of that relationship. Thus it relies on a collective form of subjectivity [...]. To suppose that every society possesses an awareness of landscape is simply to ascribe our own sensibility to other cultures.”[12]
In this sense landscape is no longer a passive entity, but something active, in continuous change, indicating new extensions and reinventions of the territory.

es el espacio de lo virtual capaz de definir un límite inmaterial. La arquitectura es la síntesis de un pensamiento artístico capaz de restituir el valor de la acción y del movimiento, descomponiéndolo en huellas que podrán seguirse: el navegante y el narrador de este paisaje artificial. El sonido nos acompañará a todas partes y en todo momento. Una exposición narra el presente y prefigura el futuro: "El pabellón, capaz de articular una imagen apremiante del futuro, se entiende como un importante enemigo para sus herederos del futuro [...]. El paisaje no es el entorno. El entorno es el aspecto fáctico de un medio, es decir, de la relación que existe entre una sociedad, el espacio y la naturaleza. El paisaje es el aspecto sensible de dicha relación. Por ello, depende de las formas colectivas de subjetividad. Suponer que todas las sociedades han tenido una conciencia del paisaje significa, simplemente, asignar a otras culturas nuestra propia sensibilidad".[12]
En este sentido, el paisaje ya no es una entidad pasiva, sino activa y en transformación constante, que remite a nuevas ampliaciones y reinvenciones del territorio.

[1] LOOTSMA, BART, "Synthetic Regionalization: The Dutch Landscape Toward a Second Modernity", en CORNER, JAMES (ed.), *Recovering Landscape. Essays in Contemporary Landscape Architecture*, Princeton Architectural Press, Nueva York, 1999.
[2] DILLER, ELISABETH, "Blur/Babble", en DAVISON, CYNTIA C. (ed.), *Anything*, The MIT Press, Cambridge (Mass.), 2001.
[3] *Ibíd.*
[4] BARBARA, ANNA, *Storie di architettura attraverso i sensi*, Bruno Mondadori, Milán, 2000.
[5] DILLER, ELISABETH, *op. cit.*
[6] *Ibíd.*
[7] *Ibíd.*
[8] *Ibíd.*
[9] *Ibíd.*
[10] *Ibíd.*
[11] BERQUE, AUGUSTINE, "Beyond the Modern Landscape", en *AA Files*, 25, verano de 1993.
[12] ZAYA, OCTAVIO, "Cai Guo-Quiang", en *Flash Art Milano*, octubre de 1996.

[1] LOOTSMA, BART, "Synthetic Regionalization: The Dutch Landscape Toward a Second Modernity", in CORNER, JAMES (ed.), *Recovering Landscape. Essays in Contemporary Landscape Architecture*, Princeton Architectural Press, New York, 1999.
[2] DILLER, ELISABETH, "Blur/Babble", in DAVISON, CYNTHIA C. (ed.), *Anything*, The MIT Press, Cambridge (Mass.), 2001.
[3] *Ibid.*
[4] BARBARA, ANNA, *Storie di architettura attraverso i sensi*, Bruno Mondadori, Milan, 2000.
[5] DILLER, ELISABETH, *op. cit.*
[6] *Ibid.*
[7] *Ibid.*
[8] *Ibid.*
[9] *Ibid.*
[10] *Ibid.*
[11] BERQUE, AUGUSTINE, "Beyond the Modern Landscape", *AA Files*, 25, summer 1993.
[12] ZAYA, OCTAVIO, "Cai Guo Qiang", *Flash Art Milano*, October 1996.

Michael van Valkendburgh
Jardín helado de Cracovia, Martha's Vineyard, Massachusetts, EEUU, 1990
Krakow Ice / Vine Garden, Martha's Vineyard, Massachusetts, USA, 1990

Un jardín capaz de representar las variaciones estacionales tal y como se pueden observar en la costa de Massachusetts. Se ha colocado una red semitransparente de tal modo que pone en evidencia, al limitarlo, una porción de paisaje natural. Sobre esta red crecen plantas de colores durante los meses más cálidos del año de modo que una porción de paisaje queda aislado mediante la vegetación. Por el contrario, en invierno la red pasa a ser un ligero diafragma de hielo tras haberse mojado la membrana traslúcida entre interior y exterior. El espesor del hielo varía según el viento; la sección del paisaje está, pues, en constante mutación. Se diluye el límite entre arte, arquitectura y paisaje. Una operación artística saca partido de la modificación física de materiales naturales y crea un espacio arquitectónico inmaterial, capaz de mutar según un proceso natural; el tiempo mide el límite entre las disciplinas. Cai Guo-Qiang ha creado complejos acon-

A garden capable of representing the variation of the seasons, as they can be observed on the coast of Massachusetts. A semitransparent screen is arranged to set off a portion of natural landscape, bordering it. In the warmer months of the year plants of different colors cover the screen and isolate the internal space by means of vegetation. In the winter the screen is dampened by an irrigation system; the water freezes to create a translucent membrane between the interior and the exterior. The thickness of the ice varies due to the wind. In this way the landscape segment is in constant mutation. The borderline limiting art, architecture and landscape is blurred. An artistic operation that utilizes the physical modification of natural materials to create an immaterial architectural space capable of changing according to a temporal process. Time measures the borders between the disciplines.

Cai Guo-Qiang

Proyecto para extraterrestres
nº 9, Munden, Alemania, 1992
Project For Extraterrestriels
n. 9, Munden, Germany, 1992

tecimientos y proyectos artísticos por todo el mundo, un proyecto que pone el acento en las leyes cósmicas de la oposición entre creación y destrucción, entre el *yin* y el *yang*. Utiliza la elección de emplazamientos singulares para sus intervenciones y sus acciones, de un modo muy parecido a como el médico acupuntor elige unas manchas concretas del cuerpo. Cai ha utilizado las técnicas de la geomancia china y, realizando un estudio completo de las condiciones de un emplazamiento, incluidas las geográficas, históricas e industriales, diagnostica y cura la tierra. La pólvora es el principal ingrediente o material de sus acciones, acciones que culminan en un fenómeno momentáneo, "una eternidad momentánea" en la que, como afirma Cai, "todas las formas de la existencia, el cielo, la tierra y los seres humanos, pierden la conciencia. El tiempo y el espacio quedan en suspenso, o mejor, regresan a su punto de partida. Están en armonía con el *ch'i* (la fuerza vital, la energía) del universo".

"Cai Guo Qiang has been creating complex events and art projects throughout the world, projects that emphasize the cosmic laws of opposition between creation and destruction, yin and yang. By selecting specific sites for his intervention and action, in much the same way as an acupuncture doctor selects specific spots on the body, Cai has been using the techniques of Chinese geomancy. In making a comprehensive study of the conditions of the site, including geography, history and industry, he diagnoses and heals the land. Gunpowder is the main ingredient or material in these actions that culminate in a momentary phenomenon, 'a momentary eternity' in which, as Cai says, 'all forms of existence, heaven, earth and human beings lose awareness. Time and space are suspended, or rather, they return to their starting point. They are in harmony with the *ch'i* (the vital force, the energy) of the universe'."

“El paisaje fue la morada original [...]. Los orígenes de la arquitectura residen en la construcción de un cobijo, en la creación de un refugio [...]. La arquitectura es una poderosa herramienta de adaptación, pero se ha convertido en un instrumento de alienación. La mayor parte de la arquitectura contemporánea, con sus ventanas selladas, con su énfasis en la fachada y su ignorancia del paisaje, nos divorcia de los procesos íntimos de la vida, así como de la naturaleza, que constituyen nuestro hábitat fundamental. Nuestra capacidad para transformar la Tierra ha promovido la ilusión de que controlamos la naturaleza, de que, de algún modo, estamos separados de ella [...]. En la actualidad, nuestra supervivencia como especie depende de nuestra capacidad para adaptar nuestro entorno a nuevos procedimientos. La solución a este tema, fundamental en nuestra época, determinará nuestra viabilidad como especie. Debemos adaptar nuestras instituciones y nuestros edificios, paisajes y asentamientos a este objetivo”.

ANNE WHISTON SPIRN, “Architecture in the Landscape: Toward a Unified Vision”, en *Landscape Architecture*, 80, agosto de 1990.

“Landscape was the original dwelling. […] The origins of architecture lie in making shelter, in creating refuge… Architecture is a powerful tool of adaptation, but it has become an instrument of alienation. Most contemporary architecture, with its sealed windows, emphasis on facade and ignorance of landscape, divorces us both from the intimate processes of living and from nature, our fundamental habitat. Our power to transform the Earth has promoted the illusion that we control nature, that we are somehow separate from it. […] Our survival as a species now depends upon whether we can adapt our environment in new ways. The resolution of this fundamental issue of our age will determine our viability as a species. We must adapt both our institutions and our buildings, landscapes and settlements to this end.”

ANNE WHISTON SPIRN, “Architecture in the Landscape: Toward a Unified Vision”, in *Landscape Architecture*, 80, August 1990

Programar la superficie de la tierra en el paisaje contemporáneo

Programming the land surface in the contemporary landscape

En la actualidad existe la tendencia a reconstruir las ciudades mediante el paisaje, reelaborando la Tierra y considerándola como una única superficie lisa, una matriz continua capaz de conjuntar una serie de elementos ambientales. El espacio liso y el estriado, tal como han sido definidos por Gilles Deleuze y Félix Guattari, siguen superponiéndose y contaminándose. De hecho, la ciudad está sometida a lo que ellos llaman "reconstrucción retroactiva del espacio liso", por parte de quienes construyen espacios cambiantes para vivir. El arquitecto es quien ha establecido tradicionalmente una distinción clara entre espacios distintos, y ahora tiene que afrontar un cambio radical en su modo de operar, reinventando la relación entre el espacio liso y el espacio estriado.

Today there is a tendency to reconstruct the city through the landscape, re-working on the earth, converting it into a single, smooth surface, a continuous matrix capable of bringing together a series of environmental elements. Smooth space and striated space, as identified by Deleuze and Guattari, continue to overlap and contaminate one another. The city, in fact, is subject to what they call retroactive reconstruction of smooth space on the part of those who construct mutable living spaces. The architect is the figure who traditionally made a clear distinction between different space, and today has to come to grips with a radical change in the way of operating, reinventing this relationship between smooth and striated space.
Art supplies one of the possible tools with

El arte proporciona uno de los posibles instrumentos mediante los cuales intervenir con vistas a la redefinición de dicha relación. Los artistas y los arquitectos intervienen en las superficies, considerándolas, no sólo como una textura visual, sino también como topografías cambiantes con un espesor variable.
"Si la arquitectura del paisaje ha sido concebida como un mero arte de mejora, asignando un significado secundario a los edificios y el planeamiento urbano, ahora está asumiendo un papel más relevante y activo en la formulación de los problemas regionales y ecológicos que afronta la sociedad: los problemas relacionados con el lugar, con el tiempo y con el proceso".[1]
Artscape se convierte en una forma híbrida inventada a partir de un diálogo interpuesto entre aproximaciones diversas. Se trata más de un método que de una materia; un método que crea nuevos paisajes para vivir mediante una manipulación de la superficie. Dicha manipulación se produce de dos modos. El primero consiste en un pliegue del propio plano, que da lugar a una continuidad y, al mismo tiempo, a un espacio intermedio (*in-between*) que pasa a ser el auténtico campo de acción.
"El espacio intermedio (*in-between*) es aquél que no es propiamente un espacio, es un espacio sin fronteras propias, que adopta su forma y la recibe desde el exterior; exterior que no es su exterior (ello implicaría que posee una forma), sino que su forma es el exterior de la identidad, pero no la de otro (ello reduciría el *in-between* al papel de objeto, y no de espacio), sino la de otros cuyas relaciones de positividad definen, por defecto, el espacio que se constituye en tanto

which to intervene to redefine this relationship. Artists and architects intervene on surfaces, seeing them not only as a visual texture, but also as mutable topographies of variable thickness.
"If landscape architecture has been thought of as merely an art of amelioration, of secondary significance to buildings and urban planning, then today it finds itself assuming a more relevant and active role in addressing the regional and ecological questions that face society —questions about place, time, and process."[1]
The artscape becomes a hybrid form that invents itself from a dialogue between different approaches, a method more than a subject, which creates new landscapes to be experienced through manipulation of the surface. This manipulation happens in two ways. The first is a bending of the same plane that produces a continuity, and at the same time an in-between space that becomes the true field of action.
"The space of the in-between is that which is not a space, a space without boundaries of its own, which takes on and receives itself, its form, from outside, which is not its outside (this would imply that it has a form) but whose form is the outside of the identity, not just of an other (for that would reduce the in-between to the role of object, not of space) but of others, whose positive relations define, by default, the space that is constituted as in-between. [...] The space of the in-between is the locus for social, cultural, and natural transformation: [it] is not simply a convenient space for movements and realignments but in fact is the only place —the place around identities, be-

que *in-between* [...]. El espacio del *in-between* es el locus de las transformaciones sociales, culturales y naturales. No es meramente un espacio adecuado para los movimientos y las realineaciones, sino que en realidad es el único lugar –el lugar que rodea las identidades, que está entre las identidades– donde dichos movimientos y realineaciones se producen, abiertos a lo futurible, y dejando atrás el impulso conservador de mantener la cohesión y la unidad". [2]
El segundo tipo de manipulación es una acción más formal, que permite que la superficie se convierta en el espacio donde se organizan nuevas formas de vida y nuevas relaciones sociales.
Recientemente, muchos arquitectos han empezado a considerar el paisaje no sólo como un escenario sobre el que intervenir introduciendo en su interior una variedad indefinida de objetos, sino como un instrumento mediante el cual es posible proyectar y manipular una materia compleja. El paisaje se convierte en algo distinto, en un lugar sensible a las distintas transformaciones, que registra los movimientos y los acontecimientos que lo cruzan. Los artistas han sido los primeros en empezar a transformar esta superficie sensible, buscando ante todo una integración y un tipo de asimilación formal al uso cotidiano. En consecuencia, los arquitectos intentan definir, adoptando la misma actitud, un método que sea capaz de reaccionar y de integrar la vida del hombre y los espacios que la protegen.
"Esto es el paisaje, entendido como una superficie activa que estructura las condiciones para unas nuevas relaciones y unas nuevas interacciones entre las cosas que soporta". [3]

tween identities— where becoming, openness to futurity, outstrips the conservational impetus to retain cohesion and unity." [2]
The second manipulation mode is a more formal action, permitting the surface to become the space in which new forms of life and social relations are organized.
Recently many architects have begun to look at the landscape not only as a setting in which to intervene, inserting an indefinite variety of objects, but as a tool through which to design and manipulate complex material. The landscape is transformed into something different, a place sensitive to different transformations, which records the movements and events that cross it. Artists were the first to begin to transform this sensitive surface, seeking first of all an integration and a type of formal assimilation for everyday use. Architects, as a result, attempt to define, using the same approach, a method capable of reacting and integrating the life of man and the spaces that protect him.
"This is landscape as active surface, structuring the conditions for new relationships and interactions among the things it supports." [3]
In this new conception landscape is no longer based on a naturalistic image, but suggests a continuous structure upon which to operate through the management of different activities, events and movements.
The surface becomes a system that establishes relations among the activities that take place on it. It is not a space between buildings or a platform on which to organize a construction process, but a veritable field of energy, a dynamic, sensitive membrane; "like a catalytic emulsion, the surface literally unfolds events in time." [4]

En esta nueva concepción, el paisaje deja de estar referido a una imagen naturalista, sino que evoca una estructura continua sobre la cual es posible operar por medio de la gestión de actividades diversas, de acontecimientos y de movimientos. La superficie se convierte en un sistema que pone en relación las actividades que soporta. No es un espacio entre los edificios, o una plataforma sobre la cual se organiza un proceso de construcción, sino un auténtico campo de energía, una membrana dinámica y sensible "parecida a una emulsión catalítica. Literalmente, la superficie despliega acontecimientos en el tiempo".[4]
La estrategia que transforma "el plano del suelo en un tejido viviente y conector de unos fragmentos cada vez más distintos entre sí y unos programas imprevistos",[5] tiene sus orígenes en las especulaciones radicales de grupos como **Superstudio**, que en *Supersurface 5* genera una malla macroestructural a la que es posible conectarse y de la cual es posible obtener sostén en cualquier punto del planeta, colonizando el paisaje y buscando una fusión y una coexistencia. **Foreign Office Architects** parece transformar esta utopía en realidad mediante una idea del paisaje como sistema operativo capaz de implicar, y no sólo de albergar, las funciones normales organizadas por la gravedad. Sus espacios se estructuran de un modo ahuecado y en diagonal.
En este sentido (como afirma Alex Wall) la superficie se parece a un campo agrícola, debido a su esencia dinámica que asume funciones, geometrías y organizaciones distintas. Su carácter adaptable proviene, en parte, de las características de la superficie

The strategy that transforms "the ground plane into a living, connective tissue between increasingly disparate fragments and unforeseen programs"[5] has its origins in the radical speculations of groups like **Superstudio**, which in *Supersurface 5* generated a macrostructural grid to which it is possible to connect and from which it is possible to draw sustenance in any part of the planet, colonizing the landscape, seeking fusion and coexistence. **Foreign Office Architects** seems to transform this utopia into reality through the idea of landscape as an operating system capable of engaging and not just hosting normal functions organized by gravity; these spaces *are hollow and diagonally structured.*
The definition of the operative field is taken from Jean-François Lyotard, who states that landscape "is a domain devoid of meaning, origin and destiny when the mind is transported from one form of sensitive manner to another, but still retains the sensorial organization characteristic of the former."[6]
FOA redefines the concept of ground, not only in formal terms, but also by seeking to determine a genetic code through a series of techniques that define the field of intervention. The surface, the program and the technology trigger a process of development in the terrain, which in contrast with what might at first seem apparent does not aim at the definition and organization of the surface, but of the space defined by the three-dimensional unfolding of the surface, no longer seen as an "envelope of space" but as a system that generates space. In the sculptures of Serra, too, the surfaces are not as important as the space they create in their continuous movement, generated in the dif-

SUPERSTUDIO,
Monumento continuo,
1969.

SUPERSTUDIO,
Monumento continuo,
1969.

SUPERSTUDIO,
5 storie del Superstudio
(*Vita*), 1971-1973.

SUPERSTUDIO,
5 storie del Superstudio
(*Vita*), 1971-1973.

proyectada. En este sentido, el grupo Foreign Office Architects desarrolla, en el ámbito de su propio trabajo, una sensibilidad hacia la reorganización espacial que se propone superar la relación clásica entre el edificio y el terreno, considerando a este último como un sistema topográfico operativo. La noción de campo operativo ha sido retomada por Jean-François Lyotard, quien afirma que el paisaje "es un dominio desprovisto de significado, de orígenes y de destino cuando la mente se traslada desde una modalidad sensitiva a otra, aunque mantiene todavía la organización sensorial característica de la primera".[6]
Foreign Office Architects redefine el concepto de terreno no sólo formalmente, sino intentando determinar un código genético mediante una serie de técnicas que definen su campo de intervención. La superficie, el programa y la tecnología ponen en marcha un proceso de desarrollo en el terreno que, al contrario de lo que podría parecer en una primera lectura, no busca una definición y una organización de la superficie, sino del espacio comprendido en el despliegue tridimensional de dicha superficie, la cual deja de entenderse como el envoltorio de un espacio y pasa a ser un sistema generador del mismo. También en las esculturas de Richard Serra las superficies no son tan importantes como el espacio que crean en su constante movimiento, generado en los distintos lugares de las instalaciones. El resultado formal de la obra de Richard Serra es completamente distinto del resultado de la obra de FOA, que es más sustancial. La tentativa de reinventar el espacio del paisaje es la misma, y nace de la ambigüedad exis-

FOREIGN OFFICE ARCHITECTS, **terminal internacional portuaria, Yokohama, Japón, 2002.**

FOREIGN OFFICE ARCHITECTS, Yokohama International Port Terminal, Japan, 2002.

tente entre el espacio y el terreno. Más que analizar ambos elementos a la manera clásica, es decir, en su oposición, la experimentación se produce en el campo indeterminado que surge entre ambos elementos. La arquitectura no es un objeto que se superpone al plano horizontal, sino que surge de la fluctuación espacial del paisaje.
Cada proyecto se propone fundir esta búsqueda centrada en el espacio, con una organización programática capaz de crear una interferencia. Dicha interferencia genera un movimiento a partir del cual se materializa la arquitectura. Del mismo modo que en las obras de Serra hay un enraizamiento en el suelo, en la obra de FOA el espacio surge de la vibración de dicho suelo.
"El conflicto entre una construcción, funcional o simbólica, implementada mediante una geometría racional, artificial y lineal, y una reproducción pintoresca de la naturaleza producida a través de otra geometría menos determinada ha sido el punto de articulación en la historia del paisaje como disciplina. Es precisamente en la superación de esta oposición donde pensamos que pueden existir oportunidades emergentes de nuevos paisajes, ciudades y arquitecturas. El paisaje emergente se caracteriza por unos desarrollos que ya se están produciendo en la biotecnología, la inteligencia artificial, el diseño y el estilo de vida, donde lo natural y lo artificial han llegado a ser virtualmente indistinguibles. Lo mutante, lo híbrido y lo metamorfoseado tienen más posibilidades de llegar a ser estereotipos del próximo siglo que la máquina o que Frankenstein".[7]
El proyecto de la terminal del puerto internacional de Yokohama surge a partir de la

ferent places where they are installed. The formal result of the work of Serra is completely different from that of FOA, in terms of substance. The attempt to reinvent the space of the landscape is the same, however, stemming from the ambiguity between space and ground. Rather than analyzing the two elements in the classic way, or namely in terms of opposition, the experimentation happens in the indeterminate field that is created between the elements. The architecture is not an object that is placed on the horizontal plane; it is generated by the spatial fluctuation of the landscape.
Each project attempts to fuse this research on space with a programmatic organization capable of generating interference. The interference generates a movement from which the architecture materializes. Just as the works of Serra are rooted to the ground, so in the work of FOA space is born of the vibration of the ground.
"The conflict between a rational, artificial, linear geometry and a picturesque reproduction of nature through less determined geometry has structured the history of landscape. It is through overcoming this opposition that we think the possibility of an emerging landscape, and city, and architecture may exist. The emerging landscape will be characterized by developments that are already happening in biotechnology, artificial and natural become virtually indistinguishable. The mutant, the hybrid, and the morphed are more likely to become the stereotypes of the next century than the machine or Frankenstein."[7]
The project for the international port terminal of Yokohama emerges from the media-

mediación entre la idea de jardín y muelle. La mediación entre ambas ideas de espacio, la pública y la institucional, genera un sistema complejo, en apariencia no controlado, al igual que en la técnica japonesa del *origami*. "Un espacio público que envuelve la terminal, renegando así de su presencia simbólica como puerta urbana [...]. Se trata de una estructura funcional que se convierte en el molde de un espacio público a-tipológico, un paisaje sin prescripciones para su ocupación".[8] La arquitectura de este paisaje artificial controla y modula los flujos de paso a través del espacio delimitado por las superficies continuas. No hay obstáculos que interrumpan la continuidad. De ese modo se obtiene una desterritorialización absoluta. Desde un punto de vista espacial, FOA alcanza una libertad absoluta en su Casa

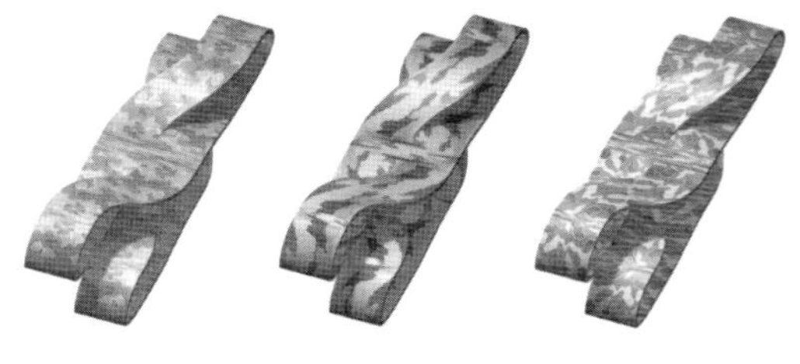

FOREIGN OFFICE ARCHITECTS, casa virtual, 1997.

FOREIGN OFFICE ARCHITECTS, Virtual House, 1997.

Virtual. En efecto, aquí la gravedad deja de ser el punto de referencia principal. La superficie reproduce hasta el infinito una condición de inestabilidad y el espacio de la casa conquista una nueva dimensión.
Una parte del terreno es la matriz a partir de la cual se reproduce un modelo ligado al territorio y a un contexto específico, de modo que se obtienen distintos modelos de viviendas para distintos modelos de territorio: modelo Arizona, modelo Estepa, etc. "Esta franja de terreno sintético se manipuló para crear la codificación del espacio de un modo similar a como una cadena de proteínas se dobla para producir un código genético. La organización de la materia tendría preferencia sobre la codificación [...]. Aparecen nuevos terrenos a partir de la proliferación del campo de afiliación que decidimos construir, dentro o más allá del emplazamiento, con el fin de explotar determinadas oportunidades".[9]
Al igual que en el arte, el espacio de la forma se ha sustituido por el espacio de los acontecimientos en el tiempo. El esquema para la terminal del puerto internacional de Yokohama nos muestra un espacio donde los distintos planos del muelle, plegados y enrollados unos dentro de otros, se funden con el sistema constructivo de planos cóncavos y convexos. Es un espacio flexible y abierto que no conforma un edificio definido tipológicamente.
El diseñador ha ofrecido a la ciudad un proyecto que es a la vez privado y seguro, público y abierto, "un modelo capaz de integrar las diferencias en un sistema coherente, un paisaje ilimitado, más que un lugar hipercodificado y delimitado".[10]

tion between the idea of the garden and that of the equipped pier, the mediation between two ideas of space, public and institutional, creating a complex, apparently uncontrolled system, as in the Japanese technique of origami "the public space that wraps around the terminal, neglecting its symbolic presence as a gate, [...] a functional structure which becomes the mold of an a-typological public space, a landscape with no instruction for occupation."[8] The architecture of this artificial landscape controls and modulates the flows of passage through the space bordered by continuous surfaces. There are no obstacles to interrupt the continuity, and this makes it possible to obtain a total deterritorialization. From a spatial viewpoint FOA achieves total freedom in the *Virtual House*. Here, in fact, gravity ceases to be the main reference point, the surface infinitely reproduces a condition of instability and the space of the house acquires a new dimension.
A portion of land is the matrix from which to reproduce a model connected to the territory and to a specific context, so as to have different habitation models for different models of territory: the Arizona model, the steppe model, etc. "This band of synthetic ground was manipulated to produce the coding of space in a similar way to the folding of a protein band to produce a DNA code: the organization of matter will have precedence over the coding. [...] New grounds derive from a proliferation of the field of affiliation that we decide to construct within or beyond the site to exploit certain opportunities."[9]
The space of the form is replaced, as in art, by the space of events in time. The scheme

Todas las estrategias no se dirigen exclusivamente a unas transformaciones físicas, sino también sociales y culturales, que actúan como agentes ecológicos capaces de poner en marcha un proceso de consolidación y desarrollo de las superficies como sistema de un paisaje artificial.
Para FOA, el paisaje es una ocasión para explorar la tradicional oposición entre lo natural y lo artificial, entre lo racional y lo orgánico. Se trata de un campo donde no es posible experimentar una visión naturalista, sino una progresiva naturalización de lo artificial: “Lo que interesa es desnaturalizar la naturaleza, ser capaces de producir unos instrumentos de análisis que nos permitan juzgar la idoneidad de una montaña o de un río [...]. Animar lo artificial y construir lo natural son dos propósitos que van en la misma dirección”.[11]
Al igual que en la *Spiral Jetty* de Robert Smithson, el paisaje reemerge desde la intervención artística, dialogando con la naturaleza que lo alberga. En la obra de FOA el paisaje reemerge desde la hibridación entre naturaleza, arquitectura, tecnología y contexto. Al igual que está ocurriendo en la biotecnología y en la inteligencia artificial, lo natural y lo virtual dejan de ser discernibles, y el espacio producido surge de una organización compleja de elementos sencillos. En la concepción artística de Christo & Jeanne-Claude, por ejemplo, el proceso se vuelve más intenso e interesante que las propias ideas, y la participación de técnicas más específicas es lo que genera la complejidad: “No tenemos ninguna necesidad de crear complejidad haciendo *collages*. Podemos sintetizar los procesos de genera-

of the international port terminal of Yokohama gives us a space where the different planes of the pier, bent and rolled one inside the next, combine with the construction system of concave and convex planes. A flexible, open space that does not generate a typologically defined building.
The designer provided the city with a project that is at once private and secure, and public and open, “a model that is capable of integrating differences into a coherent system; an unbounded landscape rather than an over-coded, delimited place.”[10]
Such strategies do not only have to do with physical transformations, but also social and cultural changes, which function as ecological agents capable of triggering the process of consolidation and development of the surfaces as an artificial landscape system.
For FOA the landscape is an opportunity to explore the traditional opposition between natural and artificial, rational and organic. A field in which to experience not a naturalistic vision, but a progressive naturalization of the artificial. “What is interesting is to de-naturalize nature, to be capable of producing the analytical instruments that permit us to judge the adequacy of a mountain or river. […] To animate the artificial and construct the natural are two aims moving in the same direction.”[11]
As in the *Spiral Jetty* of Robert Smithson, the landscape reemerges from the artistic intervention, establishing a dialogue with the nature that hosts it. In the work of FOA the landscape reemerges from the hybridization of nature, architecture, technology and context. As in what is happening in biotechnology and artificial intelligence, natural and

ción como una especie de movimiento acelerado, añadiendo exclusivamente información a la construcción".[12]
Este tipo de actitud indica que la arquitectura se está alejando de las técnicas tradicionales y está invadiendo un campo no formal, sino actuacional, con el fin de producir unos espacios que, en vez de dar respuesta a un programa específico, dejan las huellas de un desarrollo no controlado, mediante una experimentación no formal que exige un mayor componente de riesgo que la arquitectura tradicional. Resulta difícil predecir qué espacios puede llegar a producir este tipo de actitud. La mayor parte de estas ideas se encuentran todavía en fase de actuación. Pero se ha abierto una nueva posibilidad que permitirá que quienes disfrutan de estos paisajes híbridos puedan modificar su crecimiento.
El uso de la superficie compleja por parte de FOA forma parte de una búsqueda que sólo comparte con el arte una comunión de intenciones en el proceso de realización y en el método narrativo del proyecto.
Podemos apreciar una actitud formalmente más cercana al arte en la obra de **Shuei Endo**. Efectivamente, al principio su intención es trabajar con un material sencillo, intentando indagar todas las posibilidades de la modificación de su forma. En sus primeras obras, el espacio creado sólo puede ser observado. La complejidad nace de las capacidades formales del arquitecto-artista, quien, al igual que un escultor, se sumerge en una materia a la cual rodea por encima, por debajo o de lado, siempre del mismo modo. En *Springtecture H*, el espacio, plegado, empieza a utilizarse y vivirse. Se trata de

virtual become indistinguishable, the space produced takes form from a complex organization of simple elements. In the artistic conception of Christo & Jeanne-Claude, for example, the process becomes stronger and more interesting than the ideas themselves, the participation of multiple specific techniques creates complexity. "We do not need to produce complexity by making collages. We can synthesize the processes of generation as a kind of accelerated motion, integrally adding information to the construction."[12]
This type of attitude indicates that architecture is moving away from traditional techniques toward a field not based on form, but on activation, for the production of spaces that not only respond to a particular program, but also leave traces of uncontrolled development, a non-formal experimentation that requires a greater component of risk than traditional architecture. It is still hard to say what spaces can be produced by this type of approach. Most of these ideas are still in the implementation phase, but a new possibility has been opened that will permit the users of these hybrid landscapes to modify their growth.
The use of the complex surface by FOA is research that shares only the intentions of art, precisely in the realization process and the narrative method. An approach more formally oriented toward art can be observed in the work of **Shuhei Endo**. At first, in fact, his desire is to work with a simple material, by attempting to investigate all the possibilities for modification of its form. In his earliest works the space created can only be observed, the complexity springs from

una estructura de servicios colocada en un pequeño parque situado en un lugar artificial, accesible desde Osaka en una hora en tren de alta velocidad, en las montañas del distrito de Hyogo (Japón). En tanto que estructura de servicios de uso común, muy difundida en Japón, el edificio se sustrae a cualquier definición de carácter regionalista. Emplazada en un parque estrecho, entre unos edificios escolásticos de reciente construcción, el edificio se articula en tres ambientes: uno para el vigilante, otro para los hombres y otro para las mujeres. Esta pequeña estructura para servicios, que en apariencia está formada por un ensamblaje de partes, es denominada *Halftecture* y se caracteriza por los conceptos de apertura y de cerramiento. La apertura radica básicamente en la posibilidad de atravesar cualquier

the formal capacities of the architect-artist who, like a sculptor, immerses himself in one material that surrounds everything, above, below, to the sides, always in the same way. In *Springtecture H* this folded space begins to be utilized and experienced from within. This is a structure for postal services in a small park located in an artificial place, reached from Osaka by high-speed train in a one-hour journey, in the mountains of the Hyogo region in Japan. As a structure for collective services, very wide-spread in Japan, the building is exempt from any regional or local definition. Situated in a park between two recently constructed school buildings, the edifice is divided into three spaces: a room for the custodian, a room for men and a room for women. This small structure for services,

SHUHEI ENDO, Springtecture H, Nyogo, Japón, 1998.

SHUHEI ENDO, Springtecture H, Nyogo, Japan, 1998.

cosa. También aquí las similitudes con la obra de Richard Serra son numerosas. En el caso de la obra de Endo, es posible atravesarla en tres direcciones sin que haya una entrada claramente definida. Con esto se evita la sensación de desconfianza que generan, paradójicamente, las entradas claramente definidas, así como la transparencia del cristal. El "cerramiento", en tanto que característica espacial, se obtiene utilizando planchas onduladas de acero en techos, paredes y suelos.

La estructura tiene básicamente una forma de espiral independiente de planchas de acero, con otros materiales auxiliares que evocan la idea de libre paso. El concepto arquitectónico de este edificio se propone establecer una relación entre la apertura y el cerramiento mediante el continuo uso de

which apparently consists of an assemblage of parts, is called *Halftecture*, as it is simultaneously characterized by the concepts of openness and closure. Openness is essentially the possibility of passing through something. Here again there are multiple affinities with the work of Serra. In the case of this service structure the passage is possible in three directions, though there is no one defined entrance. This avoids that sense of diffidence paradoxically created by the existence of well-defined entryways and the transparency of glass. "Closure", as a spatial characteristic, is obtained by utilizing corrugated steel sheet for the roofs, the walls and the floors.

In substance the structure has the form of an independent spiral of steel sheets, with auxiliary materials that evoke the idea of

las planchas. Las paredes interiores funcionan también como cobertura exterior y como pavimento, que se prolongan en las paredes exteriores y en la cubierta, transformándose de nuevo en paredes interiores. El interior y el exterior forman una serie inconexa de intercambios, desafiando las reglas arquitectónicas presupuestas por el observador, y sugieren una forma nueva de arquitectura, extremadamente heterogénea. A partir de un sencillo elemento industrial y de un sencillo movimiento natural, surge un espacio sugerente y en armonía con su entorno.
La relación que se crea entre paisaje y arquitectura es una relación de intercambio. No sólo la arquitectura busca una nueva espacialidad mediante una relación distinta con la naturaleza, sino que los propios paisajistas absorberán el diseño urbano dentro de la nueva práctica del urbanismo del paisaje. En este aspecto, la obra de **West 8** es emblemática. Sus trabajos "soportan una diversidad de usos y una interpretación más allá del tiempo [...]. Adrian Geuze prefiere el vacío a la hiperprogramación, y afirma que los habitantes de las ciudades son los más capacitados para crear".[13] Para él, la ausencia es una condición necesaria para que el espacio de la ciudad adquiera una fuerza capaz de autorregenerarse, de comunicar, tal como hace el arte, y de seducir, de reproducirse y regenerarse por un espacio artificial, tanto en lugares conocidos, como son los espacios urbanos, como en lugares desconocidos, totalmente inmersos en la naturaleza.
Geuze afirma: "Al diseñar para unos futuros indeterminados, los nuevos consumidores urbanos pueden crear y encontrar su propio

free passage. The architectural concept of this building aims at establishing a link between openness and closure through the continuous use of sheet steel. The internal walls also function as external coverings or floorings that are extended in external walls or roofs, then transformed again into internal parts. Interior and exterior form an interconnected series of exchanges, defying the architectural rules expected by the observer and suggesting a new form of extremely homogeneous architecture. From a simple industrial element and a simple natural movement, the result is an evocative space in harmony with its surroundings.
The relation created between landscape and architecture is one of exchange. Not only does architecture seek a new spatial quality in pursuit of a different relationship with nature, but landscape architects also try to absorb urban design within a new practice of "landscape urbanism." In this area the work of **West 8** is emblematic. The works "support a diversity of uses and interpretation over time. [...] Geuze prefers emptiness to overprogramming and argues that urban dwellers are more able to create"[13] the absence which for him becomes a necessary condition in order for the space of the city to acquire a force capable of self-regeneration, of communication, precisely like that of art, and to seduce sufficiently to be reproduced and re-generated both in the usual places, such as urban spaces, and in unusual ones, for an artificial space totally immersed in nature.
Geuze believes that "in designing for indeterminate futures, new urban consumers may create and find their own meaning in

significado en los entornos que utilizan”.[14]
En el interior de los nuevos paisajes urbanos y de los paisajes rurales, la naturaleza y la ciudad encuentran un diálogo, intercambiando entre ellos ciertos elementos que contaminan y aíslan fragmentos de territorio.
El trabajo de West 8 explora directamente estos territorios hasta lograr convertirlos en puntos de contacto entre paisajes distintos, auténticos límites que se van modificando lentamente mediante un reconocimiento optimista de la ciudad contemporánea, considerada como un lugar de intercambios y de crecimiento.
La arquitectura no es una composición compleja de elementos contrapuestos, sino que expresa simplicidad y claridad, e intenta tomar la luz de la vida cotidiana con el fin de transformarla sin perder su claridad. En este proceso, la arquitectura se convierte en el arte de componer espacios, capturando los elementos naturales, integrándolos con los vacíos y protegiéndolos del movimiento caótico de las características ambientales urbanas. A pesar de la búsqueda constante de aislamiento y de su necesidad de un retorno a la naturaleza, el habitante de la ciudad contemporánea, según Geuze, siempre vuelve a lo básico, al igual que el hombre de las cavernas, quien, tras cazar y vivir durante semanas en una naturaleza caótica y violenta, regresaba al final a la tribu para aparearse y bailar en torno al fuego.
En la actualidad, la necesidad de otorgar una identidad a los nuevos territorios tiene que secundar el deseo de restituir una naturaleza virgen en las ciudades, y muchos arquitectos están trabajando precisamente para restituir en las partes olvidadas de las ciudades una

the environments they use.”[14] Inside the new urban and rural landscapes nature and city enter into dialogue, exchanging elements that contaminate and isolate fragments of territory.
The work of West 8 directly explores these territories, managing to transform them into points of contact between different landscapes, true borderlines that slowly modify themselves through an optimistic reconnaissance of the contemporary city, seen as a place of interchange and growth. The architecture is not a complex composition of opposing elements, it expresses simplicity and clarity, and attempts to take the light of the everyday world and transform it, without losing clarity. In this process architecture becomes the art of composing spaces, capturing natural elements, integrating them with empty spaces and protecting them from the chaotic movement of urban environmental characteristics. In spite of the continuing pursuit of isolation and the need for a return to nature, the inhabitant of the contemporary city, according to Geuze, hunts like a caveman and lives for weeks in a chaotic, violent natural setting, and then finally returns to the tribe, to mate and to dance around the fire. He always returns to his home base.
Today the need to give identity to new territories goes along with the desire to restore a primeval nature to the city, and many architects are working precisely to give the forgotten parts of the city natural characteristics that can be utilized by future generations. Thus West 8 creates unidentifiable objects, secret gardens, with a special accent on voids or open spaces, which are

v >
WEST 8, Jardín de los Cipreses, Charleston, EE UU, 1997.

WEST 8, Cypress Garden, Charleston, USA, 1997.

WEST 8, Jardín de las Ninfas, St. Maartensdijk, Holanda, 2000.

WEST 8, Nymph Garden, St. Maartensdijk, The Netherlands, 2000.

naturaleza que podrá utilizarse por generaciones futuras. Así, West 8 crea objetos no identificables, jardines secretos, pero sobre todo pone en evidencia los vacíos, que no se consideran elementos de discontinuidad, sino elementos de agregación dispuestos a ser colonizados por nuevas actividades.
Con ocasión de la exposición suiza que se celebra en el 2002 (Expo-02/*Landscape versus Media*), West 8 colabora con Diller & Scofidio en la creación de un paisaje urbano, un paisaje natural temporal que afecta a todos los sentidos. En este espacio, se invita al público a recorrer los senderos que van desde la ciudad de Yverdon-les-Bains hasta la superficie del lago. Los senderos se articulan mediante unas dunas artificiales cubiertas con flores de colores, los colores generan unas texturas psicodélicas que afectan a quien los atraviesa a través de sus perfumes. La forma de las dunas afecta por completo al cuerpo del observador. Unos elementos naturales reensamblados en un paisaje artificial recrean un espacio capaz de afectar y de sugerir una nueva forma de vida a una parte de la ciudad. En *Secret Garden*, un jardín secreto funde la memoria de un bosque con la geometría artificial de una arquitectura artificial, un cubo. Un bosque de troncos entrecruzados de 12 metros de altura oculta un jardín misterioso donde es posible entrar siguiendo cada vez un camino distinto. El terreno está cubierto de arándanos, y cuando caminamos por su interior descubrimos que estamos dentro de una gran concha que nos transporta a un mundo paralelo. Si miramos hacia arriba, podemos ver el cielo a través de los agujeros del entramado de la cubierta, así como parte de las piedras que hay en

not seen as elements of discontinuity but as places of aggregation, ready to be colonized by new activities.
For the Swiss National Exposition held in 2002, "Expo.02 Landscape versus Media", West 8 has collaborated with Diller & Scofidio to create an urban landscape, a temporary natural landscape that engages all the senses.
In this space visitors are invited to follow paths leading from the town of Yverdon-les-Bains to the surface of the lake. The paths wind through artificial dunes covered with a series of colored flowers. The colors create psychedelic textures, engaging the people walking through them by means of scents. The form of the dunes totally involves the body of the observer. Natural elements reassembled in an artificial landscape create a space capable of attracting people, while suggesting a new way of using and experiencing a part of the city. *Secret Garden* combines the memory of a forest with the geometry of an artificial architectural element, a cube. A forest of crossed trunks with a height of 12 meters conceals a mysterious garden that can be entered along a different path each time. The ground is covered with blueberry bushes, and those walking in the garden discover that they are inside a large seashell, transporting them into a parallel world. Looking up it is possible to see the sky through the holes of the roof slab, and part of the rocks on the roof. One can climb the walls of the garden with wooden ladders, reaching a suspended platform where the atmosphere is quite different. The floor is covered with a 60-cm layer of seashells, and the rocks offer a place to sit.

el techo. También podemos trepar por las paredes del jardín hasta una plataforma elevada por unas escaleras de madera. Ahí, la atmósfera es sensiblemente distinta. El pavimento está cubierto por 60 centímetros de conchas marinas y las piedras nos permiten sentarnos. El jardín es capaz de iniciar un diálogo imaginario entre el océano y los bosques, combinando una vez más elementos muy diversos.

En *Jardín de los Cipreses*, aunque presenta unas características espaciales análogas al anterior, está ubicado en el interior de un paisaje natural, aislando una parte concreta del mismo y convirtiéndola en un lugar seguro.

El territorio salvaje que rodea la ciudad de Charleston produce una sensación de belleza pero, al mismo tiempo, asusta a causa de su inaccesibilidad. El agua silenciosa, los árboles y la naturaleza impracticable parecen haber marcado este lugar para siempre. En la época de la esclavitud, estos cenagales se utilizaban como cultivos de arroz. En la actualidad, tras el abandono de los campos, la maleza y los animales han vuelto a apoderarse del lugar. El silencio, la humedad y la naturaleza ayudan a las personas a meditar y a sumergirse completamente en el paisaje.

Por medio de una pequeña plataforma, West 8 ha creado un lugar suspendido sobre el agua, dentro de una estancia natural cobijada y protegida. "Esta zona apartada queda separada de sus alrededores por medio de capas de musgo ondulado, colgado de unos cables".[15] Este muro filtra la luz y transforma el espacio natural en un lugar para la contemplación cuyo resultado es una experiencia surrealista vivida a través de distintas atmósferas.

The garden is capable of establishing an imaginary dialogue between the ocean and the forest, combining contrasting elements.

In *Cypress Garden* the spatial characteristics of the garden are similar to those described above, but the installation is located in a natural landscape, isolating and safeguarding one precise portion.

The rugged territory around the city of Charleston evokes a sensation of beauty, but is also frightening due to its inaccessible nature. The silent water, the trees, the forbidding nature seem to have characterized this place forever. Yet during the period of slavery these swamps were used as rice fields. When they were abandoned the forest and the wildlife took back possession of the place. The silence, the humidity, the natural setting help people to meditate and completely lose themselves in the landscape.

West 8 uses a small platform to create a place suspended over the water, inside a sheltered natural room. "This secluded area is separated from the surroundings by layers of waving Spanish moss which hang over wires."[15] The wall filters the light and transforms the natural space into a place of contemplation, an experience of Surrealism through different atmospheres.

Architects try to work with natural space precisely to resolve a conflict. These spaces, in fact, filter and reinterpret the territory, making it a place in which to live without feeling threatened. Rules of behavior are required, rather than quantitative regulations and standard sizes (typical of a certain kind of architecture). The intensity and quality of utilization of urban spaces and things must be regulated on the basis of the evolu-

Los arquitectos intentan trabajar con el espacio natural precisamente para resolver un conflicto. Efectivamente, estos espacios filtran y reinterpretan el territorio, convirtiéndolo en un lugar donde poder vivir sin sentirse amenazado. Se generan reglas de conducta, más que normas o medidas estándar (típicas de cierto tipo de arquitectura). La intensidad y la calidad de uso de los espacios y de las construcciones urbanas tienen que estar reguladas sobre la base de los caracteres evolutivos de los intereses primarios de la población asentada y, al mismo tiempo, tienen que basarse en el respeto hacia el contexto. Las intervenciones propuestas por algunos arquitectos van orientadas en una dirección inspirada por una máxima continuidad y ningún traumatismo de las transformaciones, puesto que todo proyecto se basa en una interpretación del proceso de formación de los lugares. Para lograrlo, la arquitectura, al igual que el arte, debe interpretarse y no meramente descifrarse.

tionary character of the primary interests of the settled population, while responding to criteria of respect for the context. The interventions proposed by certain architects are oriented toward a maximum of continuity and non-traumatic transformation, because each project is based on the interpretation of the process of formation of the places involved. To accomplish this, architecture, like art, must be interpreted, not merely deciphered.

“El espacio representa una comodidad de gran valor para el habitante de la ciudad. Como si confiásemos en un radar, como los murciélagos para avanzar por las calles, nos obsesionamos por la proporción. Identificamos al instante y compensamos el espacio insuficiente de los ascensores, de las colas del teatro o de las esquinas abigarradas de las calles, mientras esperamos que cambie la luz del semáforo [...]. Nos cegamos selectivamente para protegernos contra las constantes agresiones de la ciudad. Ahí reside la paradoja. Como urbanitas, dos de nuestros instintos básicos que garantizan nuestra supervivencia entran en conflicto. Por una parte, tenemos una sensibilidad muy aguda hacia los más pequeños detalles de la interacción humana. Por otra, tenemos que borrarlos”.

DAVID KNOWLES, *The Third Eye*, Bloomsbury Publishing, Londres, 2000.

“Space is a valuable commodity for the urban dweller. Relying on a bat-like sonar to navigate the streets, we are obsessed with proportion. We instantly identify and compensate for improper spacing in elevators, theater queues, or on crowded street corners while waiting for the lights to change. [...] We selectively blind ourselves to protect ourselves against the city’s continual barrage. And therein lies the paradox. As urbanites, two of our most basic survival instincts stand in conflict to one another. On the one hand, we’re acutely sensitive to the smallest details of human interaction. On the other, we have to blot those details out.”

DAVID KNOWLES, *The Third Eye,* Bloomsbury Publishing, London, 2000.

MVRDV

Pabellón de Holanda, Exposición Universal, Hannover, Alemania, 2000.

Dutch Pavilion, World's Fair, Hanover, Germany, 2000.

"El pabellón holandés de la Expo 2000 de Hannover, de MVRDV, bajo el lema 'Holanda crea espacio', identifica la nueva relación de la arquitectura con el territorio, entendido como un ecosistema natural y como paisaje urbano vivo.
Arrancando constantemente al mar y al delta del Rin sus propios territorios, Holanda ha construido desde siempre de un modo artificial su propio paisaje, un paisaje donde una naturaleza controlada acepta la intervención del hombre como parte integrada e integrante del propio ecosistema. La dependencia respecto a este modo de ser del territorio holandés queda fuertemente impresa en la idea del proyecto. La sencillez geométrica de la forma del conjunto y la desmaterialización del volumen construido restituyen la unidad de ambos términos, el hombre y la naturaleza, por medio del respeto recíproco de sus propias reglas: por una parte, la regla del hombre de disfrutar naturalmente el territorio; por otra, la regla de la naturaleza de disolver en los ciclos ecológicos los signos de las alteraciones.
La búsqueda de una 'nueva naturaleza' que se constituya como una nueva regla para las intervenciones de ocupación del limitado territorio nacional, bajo la presión de la densificación de los asentamientos urbanos, queda sintetizada mediante la superposición vertical de distintos territorios característicos, naturalmente disloca-

"The Dutch pavilion at Expo 2000 in Hanover, by MVRDV, with the title 'Holland Creates Space', identifies a new relationship between architecture and the territory, seen as both a natural ecosystem and a living urban landscape.
Continuously reclaiming land from the sea and the Rhine delta, Holland has always constructed its landscape artificially. A landscape where a controlled nature accepts man's intervention as an integral and integrating part of his own ecosystem. The idea of the project is strongly influenced by this dependency on a way of being of the

dos en extensión. Los reinos del viento y del agua, de la lluvia, del bosque, de las cuevas, de la agricultura y de las dunas, se diseñan en seis plantas cuadradas, de 1.000 metros cuadrados cada una, dispuestos según una sucesión vertical en niveles de sección variable. La estratificación de los planos 'crea espacio', de modo que el 90 % de la superficie del suelo reservada para el pabellón queda libre para la ubicación de un jardín.
El edificio es un parque para ser explorado en un descenso libre desde la parte superior a la inferior, puesto que bajo el nivel del mar se encuentra una parte de la tierra holandesa, comprimida y condensada en la caja mágica del envoltorio invisible de este pabellón, cada uno de cuyos planos se corresponde con un acontecimiento, una experiencia, una relación distinta nterior-exterior, un aparato ecotecnológico, una naturaleza específica, tanto narrativa como estructural.
La sucesión de los planos se corresponde con una estratificación de emociones: el extrañamiento de un pozo de agua colgado a 40 metros del suelo, sin bordes aparentes, sin límites, pero con una continuidad matérica y visual con la pared de lluvia del plano inferior; el agua vaporizada sobre la piel en el recorrido por detrás de la cascada; la metamorfosis de los troncos de árbol con extremidades metálicas, mágicamente transformados en elementos

territory. The geometric simplicity of the overall form and the dematerialization of the constructed volume restore the unity of the two terms, man and nature, through mutual respect for the rules of each: on the one hand the rule of man to naturally exploit the territory, on the other the rule of nature to dissolve the signs of alteration in ecological cycles.
The pursuit of a "new nature" that can take the form of a new rule for settlement and use of the limited national territory, responding to pressures of densification of urban settlements, is summed up in the vertical superimposition of different characteristic territories, naturally with variations in terms of extension. The realms of wind and water, of rain, the forest, caverns, agriculture, dunes are designed in accordance with six square planes, each measuring 1,000 square meters, arranged in vertical sequence on levels with variable sections. The stratification of the planes 'creates space', so much so that 90% of the lot set aside for the pavilion is left free for a garden.
The building is a park to explore from the top down, because part of the Dutch land is below sea level, compressed and condensed in the magic box by the invisible enclosure of this pavilion, where each level corresponds to an event, an experience, a different interior-exterior relationship, an eco-technological apparatus, a specific

portantes; la desorientación entre las geometrías cónicas de unos abstractos y estilizados grupos de estalactitas confundidos entre imágenes y sonidos; la fabulosa extensión de flores, tan improbable en la abstracta virtualidad de sus abejas digitales como intensa y real en los tonos del rojo y del amarillo de millares de pétalos dispuestos ordenadamente a un metro y medio del suelo. Y también el paisaje de Luna Park de las dunas al nivel del suelo, donde una especie de inevitable puente levadizo une este castillo de fábula con la más triste realidad circundante del gran coche fúnebre de la Expo".[16]

nature, both narrative and structural. The succession of levels corresponds to a stratification of emotions: the disorientation of a pool of water suspended 40 meters above ground without apparent borders, without limits, but in materic and visual continuity with the wall of rain on the level below; the nebulized water on one's skin in the walk behind the waterfall; the metamorphosis of the tree trunks with metal extremities, magically transformed into support elements; the confusion amidst the conical geometries of abstract, stylized stalactite groups, surrounded by images and sounds; the fairy-tale floral expanse, quite improbable in the abstract virtual nature of its digital bees, but very intense and real in the tones of red and yellow of thousands of petals arranged in order at a height of 1.5 meters above the ground. And then the amusement park landscape of the dunes on the ground floor, where a sort of inevitable drawbridge connects this fabulous castle to the sadder surrounding reality of the grand circus of the Expo." [16]

Eisenman Architects

Ciudad de la Cultura, Santiago de Compostela, España, 2001

City of Culture, Santiago de Compostela, Spain, 2001

En tres de sus proyectos, Peter Eisenman transforma el territorio en arquitectura y la arquitectura en territorio. El Nuevo Teatro de Brujas (Bélgica) emerge directamente de los pliegues del terreno y se configura como un recorrido en el paisaje, como un espacio de conexión entre la plaza y el parque. Sin interrumpir la continuidad del tejido urbano, el edificio, formado por dos alas unidas en

In three projects Peter Eisenman transforms territory into architecture and architecture into territory. In the New Theater in Bruges, Belgium, the theater emerges directly from the folds of the earth and takes on the form of a path in the landscape, a space of connection between the square and the park. Without interrupting the continuity of the urban fabric, the edifice, formed by two

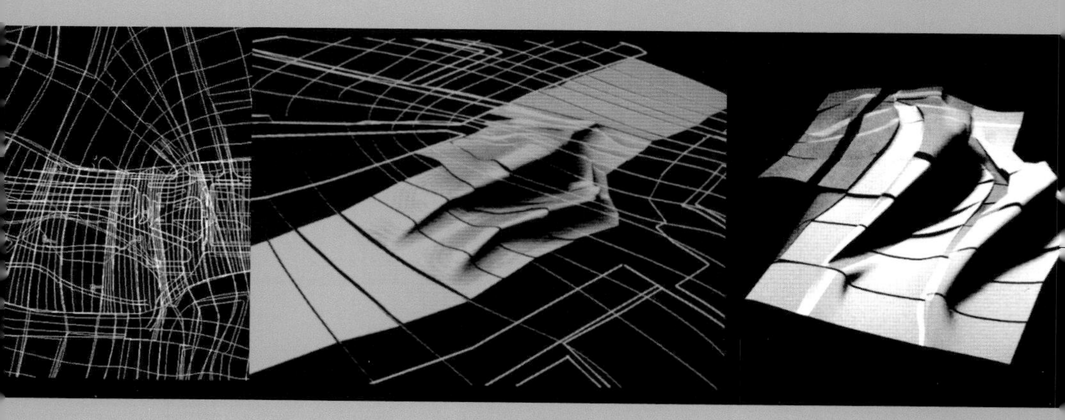

el nivel subterráneo, queda completamente integrado al parque que lo atraviesa en varias direcciones y a distintas cotas. Eisenman propone un nuevo modelo de espacio urbano que rechaza la relación tradicional entre edificio y suelo, anulando la distinción entre arquitectura y contexto. Los edificios dejan de ser objetos aislados y pasan a formar un *continuum* espacial donde las partes edificadas quedan completamente integradas en las zonas públicas y en el parque. Se trata de una intervención de alta densidad y con un desarrollo horizontal.
Sin embargo, la ciudad necesita un nuevo código genético, un nuevo modelo de desarrollo, y el arquitecto americano lo encuentra en su proyecto para el Centro Cultural de Santiago de Compostela

wings connected underground, is completely integrated with the park it crosses in different directions and at different levels. Eisenman proposes a new model of urban space that rejects the traditional building/ground relationship, erasing the distinction between architecture and context. The buildings stop being isolated objects and form a spatial continuum where the edified parts are totally integrated with the public zones and the park. A high-density horizontal intervention.
But the city needs a new genetic code, a new model of growth, and the American architect finds it as he designs the Cultural Center in Santiago de Compostela (Spain). The new urban figure calls for buildings that are literally engraved in the terrain, absorbed by a place with a great density

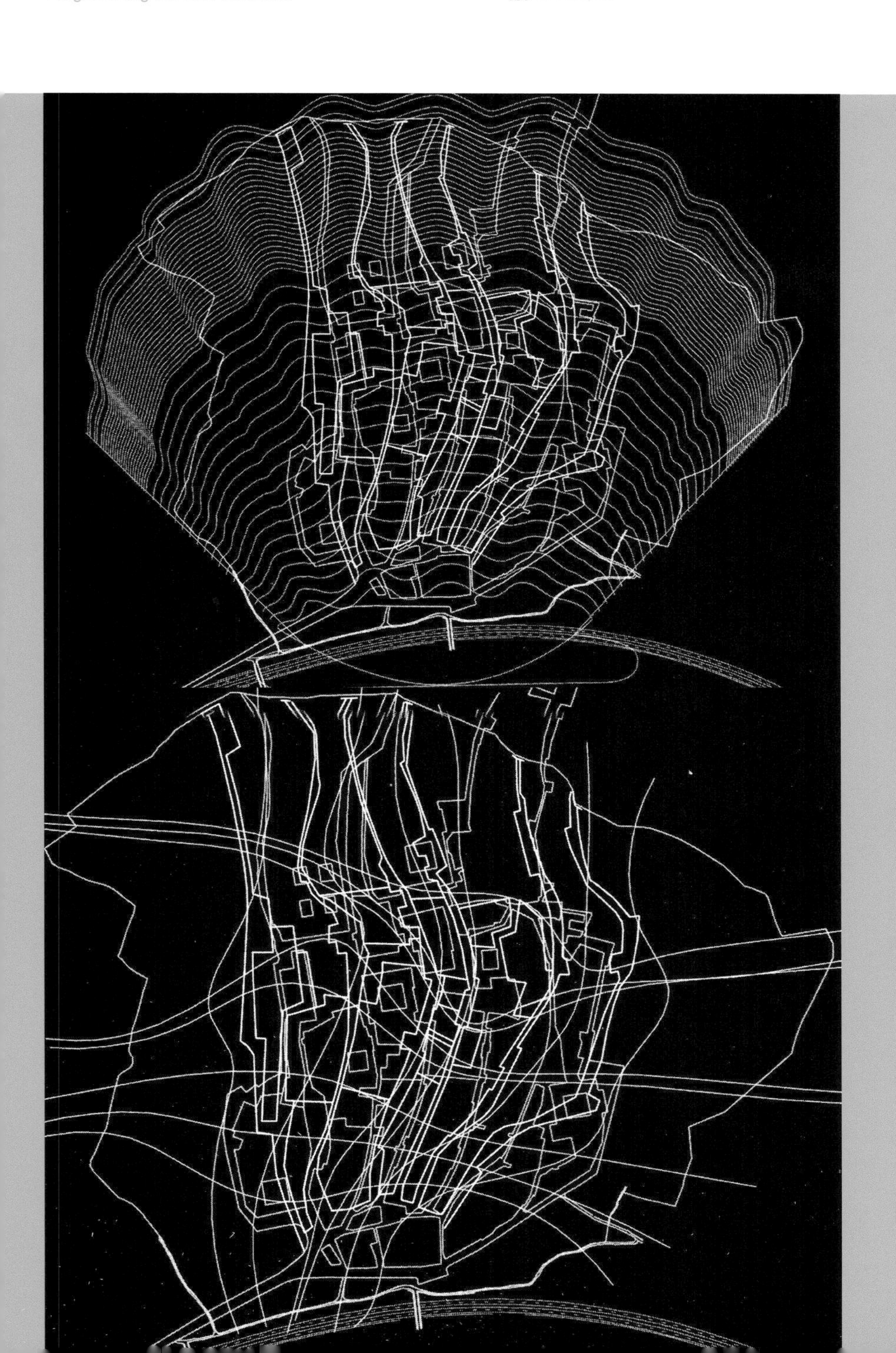

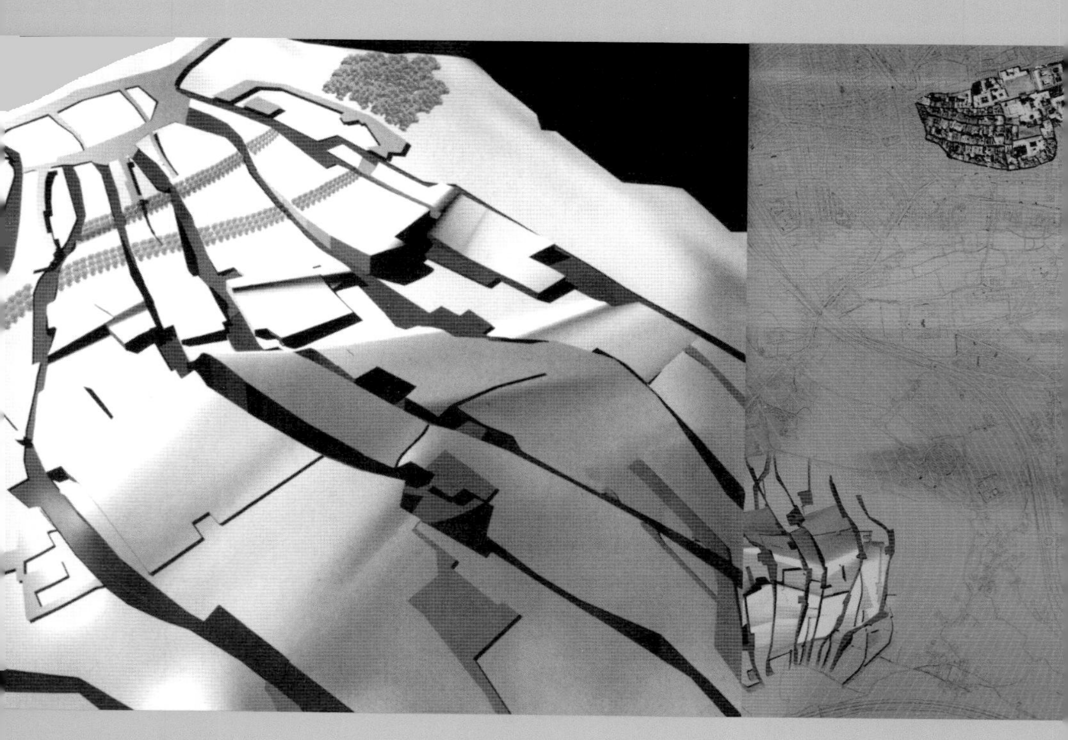

(España). La nueva imagen urbana prevé edificios literalmente grabados en el terreno, absorbidos por un lugar denso de tradiciones diversas. El centro adopta una configuración completamente distinta del antiguo núcleo urbano, aunque mantiene sus trazas como fundación originaria.
El paisaje, en tanto que material de construcción, proporciona un nuevo instrumento con el que es posible reinventar la ciudad contemporánea.

of different traditions. The centre takes on a completely different configuration with respect to the ancient nucleus below, while maintaining its traces as the original foundation. Landscape as construction mater-ial offers a new tool with which to reinvent the contemporary city.

[1] WALL, ALEX, "Programming the Urban Surface", en CORNER, JAMES (ed.), *Recovering Landscape. Essays in Contemporary Landscape Architecture*, Princeton Architectural Press, Nueva York, 1999.
[2] CORNER, JAMES, "Introduction: Recovering Landscape as a Critical Cultural Practice", en CORNER, JAMES (ed.), *op. cit.*
[3] WALL, ALEX, *op. cit.*
[4] Ibíd.
[5] PETTENA, GIANNI, *Radicals. Architettura e design 1960-1975*, Il Ventilabro, Florencia, 1996.
[6] LYOTARD, JEAN-FRANÇOIS, *L'Inhumain: causeries sur le temps*, Galilée, París, 1988; (versión castellana: *Lo inhumano: charlas sobre el tiempo*, Editorial Manantial, Buenos Aires, 1998).
[7] FOA, "Código FOA Remix 2000", en *2G*, 16, 2000.
[8] FOA, "Terminal del puerto internacional de Yokohama" (memoria del proyecto), en *2G*, 16, 2000.
[9] FOA, "Casa Virtual" (memoria del proyecto), en *2G*, 16, 2000.
[10] GREGOTTI, VITTORIO, "La strada tracciato e manufatto", en *Casabella*, 553-554, enero/febrero de 1989.
[11] FOA, *op. cit.*
[12] Ibíd.
[13] GEUZE, ADRIAN, *West 8*, Skira, Milán, 2000.
[14] Ibíd.
[15] Ibíd.
[16] MANNA, STEFANIA, "Expo 2000. Il padiglione olandese", en *L'Industria delle costruzioni*, 351, enero 2001.

[1] WALL, ALEX, "Programming the Urban Surface", in CORNER, JAMES (ed.), *Recovering Landscape. Essays in Contemporary Landscape Architecture*, Princeton Architectural Press, New York, 1999.
[2] CORNER, JAMES, "Introduction: Recovering Landscape as a Critical Cultural Practice", in *Recovering Landscape, op. cit.*
[3] WALL, ALEX, *op. cit.*
[4] *Ibid.*
[5] PETTENA, GIANNI, *Radicals. Architettura e design 1960-1975*, Il Ventilabro, Florence, 1996.
[6] LYOTARD, JEAN-FRANÇOIS, *L'Inhumain: Causeries sur le temps*, Galilée, Paris, 1988.
[7] FOA, "FOA Code Remix 2000", in *2G*, 16, Barcelona, 2000.
[8] FOA, "Yokohama International Port Terminal" (project description), *ibid.*
[9] FOA, "Virtual House" (project description), *ibid.*
[10] GREGOTTI, VITTORIO, "La strada: tracciato e manufatto", in *Casabella*, 553-554, January-February 1989.
[11] FOA, *op. cit.*
[12] *Ibid.*
[13] GEUZE, ADRIAN, *West 8*, Skira, Milan, 2000.
[14] *Ibid.*
[15] *Ibid.*
[16] MANNA, STEFANIA, "Expo 2000. Il padiglione olandese", in *L'industria delle costruzioni*, 351, January 2001.

“Creo que el arte puede fácilmente entrar a formar parte del reino de la arquitectura. A mí me gustaría poder hacerlo, e incluso, quizá, me gustaría construir una casa. La idea de la funcionalidad en su conjunto no me asusta; no me asusta que me digan: ‘se tienen que poder atravesar dos espacios’ o ‘en la habitación tiene que haber un hueco para abrir una puerta’. Lo que realmente me da miedo es el grado de compromiso que se acepta en arquitectura. El consenso y el compromiso se han convertido en un elemento primordial del proyecto; ha fomentado una disciplina con una menor orientación ideológica, y no creo que el compromiso se haya orientado por razones funcionales. Obviamente, está parcialmente condicionado por razones financieras, pero mi opinión es que esto es así porque, sencillamente, la gente no está convencida. Es como la pescadilla que se muerde la cola. Como la arquitectura no es ideológica, resulta difícil convencer a la gente y, entonces, se compromete a sí misma ad infinitum. No creo que el arte tenga mucho que ofrecer. Pero, en cambio, la arquitectura sí tiene unas cualidades únicas que ofrecer”.

ELIASSON, OLAFUR, “Participation City” (fragmento de una entrevista con Hans Ulrich Obrist en diciembre de 2003), en *Domus*, 868, marzo de 2004.

“I think that art could easily go into the realm of architecture. I would personally like to do that actually, and maybe even build a house. The whole idea of functionality doesn’t scare me: being told things like ‘you have to walk between two rooms’ and ‘there has to be an opening in the room to make a door’ doesn’t scare me. What does scare me is the level of compromise that has been accepted in architecture. It has promoted a less ideologically-driven architectural discipline. And I do not think that the compromise has been functionality-driven. Of course it is financially-driven, but I think it is so because people are just not convinced. It’s like a bad loop. Being non-ideological, it is difficult to convince people and then it compromises itself endlessly. I do think that art has a lot of things to offer. And of course architecture does have some unique qualities to offer too.”

ELIASSON, OLAFUR, “Participation City” (fragment of an interview with Hans Ulrich Obrist, December 2003), in Domus, 868, March 2004.

Cuando el arte define un sistema social

When art defines a social system

Si el paisaje contemporáneo es el lugar donde el arte y la arquitectura intercambian mutuamente ideas, conceptos y sugerencias, entonces, es necesario que a través del arte se consiga delimitar un campo donde los usuarios puedan comprender la importancia del trabajo de quien proyecta el espacio habitable. De este modo, la arquitectura restituye al arte el campo enriquecido de la negociación entre sujeto y objeto.
Esta negociación incluye más campos: el social, el cuerpo y la geografía de los lugares, la interdisciplinariedad y el intercambio de papeles, en una praxis de la producción contemporánea.
En esta línea de investigación, la fotografía ha desempeñado un papel fundamental en los últimos años, no sólo porque la arquitectura y el paisaje se hayan convertido en los

If the contemporary landscape is the place where art and architecture swap ideas, concepts and suggestions, then it is necessary, through art, to define a field in which users can understand the importance of the work of those who design living spaces. As a result, architecture restores the field to art, enriched by the value of negotiation between the subject and the object.
This negotiation impacts multiple fields: society, the body, the geography of places, interdisciplinary action. Exchange of roles is a praxis in contemporary production. Photography has played a fundamental role, in recent years, in this path of research, not only because architecture and the landscape have become the new territories of observation, but also and above all because the art of the real becomes an in-

nuevos territorios para observar, sino, sobre todo, porque el arte de lo real ha pasado a ser un instrumento de mediación entre individuo y territorio. Carlos Garaicoa desarrolla su trabajo en el contexto urbano extremadamente particular de La Habana, lugar que le ayuda a entender las relaciones que los individuos instauran con el lugar. El sentido de pertenencia es muy importante en su trabajo, pero, al mismo tiempo, intenta hablar, en un sentido más amplio, de fenómenos que interesan a todo el mundo, y alejarse de un contexto demasiado específico. En este caso, el lugar concreto es sólo un punto de partida para proceder a un análisis más amplio.

"Mi trabajo se concibe como un diálogo continuo con el espacio público de muchos ambientes diferentes y, por ello, se relaciona muy estrechamente con el contexto donde se ha desarrollado. Creo que el progreso y la difusión del fenómeno visual de los últimos diez o quince años han ampliado las posibilidades de reflexión sobre el espacio público, permitiendo así que se produzca este diálogo fundamental sobre una idea del arte visual que elimine los elementos característicos de la ciudad".[1]

De entre las obras de Carlos Garaicoa que establecen una relación más estrecha con la arquitectura encontramos las reconstrucciones de edificios parcialmente destruidos, una operación que, en cierto sentido, es opuesta a la de Gordon Matta-Clark, pero que, al mismo tiempo, es capaz de explorar las posibilidades representadas por la memoria. En este caso concreto, la arquitectura es un puente entre la memoria colectiva y el futuro, donde pueden llevarse a cabo

strument of mediation between the individual and the territory. Carlos Garaicoa develops his work in an extremely particular urban context, that of Havana. The context helps him to understand the relationships individuals establish with a place. The sense of belonging is very important in his work, but at the same time he addresses more general phenomena that effect everyone, avoiding excessive local specificity. In this case the specific place is just a starting point for a broader analysis.

"My work is conceived as a continuing dialogue with the public space of many different environments, and therefore it has a

CARLOS GARAICOA,
***Sin título*, 2003**

CARLOS GARAICOA,
***Untitled*, 2003**

utopías y sueños.
Estos precedentes abren el camino a otras interpretaciones. A la luz de las primeras experiencias de Andreas Gursky, ¿sería quizás aventurado leer sus fotografías de lugares de producción de la sociedad contemporánea como una crítica social, como ejemplos de un "antiguo" arte de denuncia mediante el cual las imágenes de las fortalezas bancarias, de las bolsas de valores, del Bundestag, de lugares industriales *high tech*, de hoteles con mucho diseño de firma son denuncias sutiles de una opresión tecnócrata y consumista que el artista decide presentarnos diabólicamente travestida de "industrial sublime"?
Cómo podemos ignorar que, al contrario que sus maestros y colegas, Gursky introduce gente en sus imágenes. Sus fotografías son de gran formato (Gursky ha sido uno de los primeros fotógrafos en exceder el tamaño habitual) por precisos motivos de composición, para hacer que el espectador entre en las imágenes como si fuese un ambiente, para que lea los detalles. Las grandes imágenes de Gursky reconstruyen un discurso pictórico al restituir toda la realidad posible a una sola imagen.[2]
Son los fotógrafos, pues, quienes con su investigación redefinen el límite objetivo de lo real y producen el mecanismo de colaboración interdisciplinaria donde territorio, arte y utopía social definen un campo de acción en el que, a menudo, arquitectos y artistas se intercambian los papeles en nombre de una definición concreta de espacio y de una relación física, social y cognitiva. Siguiendo esta tendencia, podemos pensar en The Land, un vasto proyecto de colabo-

close relation with the context in which it develops. I think the progress and spread of the visual phenomenon over the last 10-15 years have increased the possibilities for reflection on public space, permitting this fundamental dialogue for an idea of visual art that eliminates the characteristic elements from the city."[1]
Among his pieces most closely connected with architecture, the reconstructions of partially collapsed buildings constitute an operation that is, in a certain sense, the opposite of that of Gordon Matta-Clark, but at the same time is capable of exploring the possibilities represented by memory. In this specific case architecture is a bridge between collective memory and the future, where utopias and dreams may be realized.
These precedents open the way for other interpretations. In the light of the first experiences of Andreas Gursky, is it inappropriate to see his photographs of the places of production of contemporary society as social commentary? An "antique" example of an art of protest, in which the images of the strongholds of banking, stock exchanges, the Bundestag, high-tech industrial facilities and design hotels become a subtle critique of a technocratic, consumption-based oppression the artist diabolically presents to us in the guise of the "Industrial Sublime".
Nor should we overlook the fact that Gursky, unlike his teachers and colleagues, inserts people in his images. His photographs are large (Gursky was one of the first photographers to apply "excessive" formats) for precise compositional reasons, to allow the viewer to enter the image as if it were an environment, to read its details. Gursky's

ración interdisciplinaria que se puso en marcha en 1998, en un terreno adquirido por Rirkrit Tiravanija en la aldea tailandesa de Sanpatong, cerca de Chiang Mai.
Consiste en un laboratorio de desarrollo autosostenible cuyo objetivo es la experimentación de un nuevo modelo de vida. El proyecto nació de la fusión de ideas de diferentes arquitectos y artistas, unidos por el deseo de fundar un lugar basado en el compromiso social, es decir, una comunidad.
The Land se desvincula de cualquier idea de propiedad privada y persigue la colectivización del paisaje, intentando mantener neutralidad ante los enfrentamientos entre las disciplinas. Un grupo de estudiantes de la Universidad de Chiang Mai ha monitorizado dos arrozales comprendidos en su territorio, y la cosecha resultante se divide entre los habitantes de una aldea vecina.
Un gran número de artistas ha ideado y realizado proyectos de casas o sistemas autosuficientes para The Land, desde servicios higiénicos en las viviendas y sistemas para la explotación de la energía solar, hasta la producción de biogás. El propio Tiravanija ha ideado una casa basada en tres esferas de necesidad: el espacio social ocupa la planta baja, la primera planta se destina a la lectura y a la reflexión, y, en la tercera, se duerme. Por otro lado, R&Sie(n) y Philippe Parreno han construido Músculo Híbrido, un centro de actividad nacido de la colaboración entre arte y arquitectura que se inserta con simplicidad en el contexto natural.
Músculo Híbrido se presenta como un pabellón abierto y sirve de refugio para los estudiantes de la universidad vecina. Se trata

R&Sie(n), PHILIPPE PARRENO, Músculo Híbrido, Chiang Mai, Tailandia, 2003

R&Sie(n), PHILIPPE PARRENO, Hybrid Muscle, Chiang Mai, Thailand, 2003

de un pequeño edificio que se caracteriza por la ligereza del material utilizado para la cubierta, un plástico semitransparente que envuelve una estructura rudimentaria de madera y que recuerda la maraña de una jungla, arriostrada con un sistema de tirantes de acero. El suelo artificial se construye mediante una solera ondulada de cemento: una base sólida y necesaria para permanecer estable sobre un terreno pantanoso.
El edificio es totalmente autosuficiente desde el punto de vista energético y, por tanto, convive perfectamente con la naturaleza circundante. Un búfalo satisface la necesidad de energía eléctrica: con su movimiento activa una dinamo que está situada en un extremo del pabellón y produce energía que se almacena en una serie de baterías.
La estrategia de la intervención de R&Sie(n) y Parreno, en perfecta sintonía con el espíritu de The Land, intenta producir en un lugar un mecanismo de autoconfiguración capaz de absorber los cambios y hacer que forme parte integrante del paisaje existente.
El crecimiento de The Land es progresivo: el aumento de densidad se produce mediante estratificaciones sucesivas, análogas a aquellas que representa el paisaje que la acoge.
Arte, arquitectura y paisaje entablan un diálogo de colaboración que produce efectos e imprevisibles cuasiorganismos que oscilan entre proceso, objeto, estructura e intercambio.[3]
En The Land es importante que el arte y la arquitectura contribuyan a un proceso que sirva de base a un desarrollo económico,

big images reconstruct a pictorial discourse, packing all the reality possible into a single image.[2]
Photographers, therefore, with their research, redefine the objective confines of the real, setting in motion a mechanism of interdisciplinary collaboration in which territory, art and social utopia define a field of action in which architects and artists often swap roles, to achieve a concrete definition of space and a physical-social-cognitive relationship.
Another work pertinent to this trend is The Land, a vast project of interdisciplinary collaboration that began in 1998 on land acquired by Rirkrit Tiravanija in the Thai village of Sanpatong, near Chiang Mai. This is a workshop for self-sustainable development, in which to experiment with a new model of living. The project is the result of the fusion of the ideas of different artists and architects who share the desire to create a place of social commitment, a community. The Land is free of any ideas of private property, and attempts to collectivize the landscape, to remain neutral with respect to individual disciplines. The two rice fields on the land are monitored by a group of students from the University of Chiang Mai, and the harvest is divided with the inhabitants of the nearby village.
Many artists have invented and built projects for houses and self-sufficient systems for The Land: from bathrooms to dwellings, solar energy systems to the production of biogas. Tiravanija has designed a house based on the three spheres of necessity: the social space is on the ground floor, the next floor is for reading and reflection, and the

social y cultural de una zona concreta, con el objetivo de hacer hincapié, si es posible, en los principios ecológicos que persigan objetivos de carácter social.
Como The Land, Baku es un proyecto que pasará a formar parte integrante del territorio que lo alberga. Algunas de sus características intrínsecas lo distinguen como obra de arte capaz de hacer reflexionar sobre la

Gruppo 42'8 (Giuseppe Vele, Luca Nicodemo, Marcaurelio D'Acunti, Raffaele Orefice), Baku, 2002-2003

Gruppo 42'8 (Giuseppe Vele, Luca Nicodemo, Marcaurelio D'Acunti, Raffaele Orefice), Baku, 2002-2003

upper level is for sleeping. R&Sie(n) and Philippe Parreno, on the other hand, have made Hybrid Muscle, an activity center based on the collaboration between art and architecture, inserted with simplicity in the natural context. Hybrid Muscle is an open pavilion that functions as a refuge for students from the nearby university. It is a small building characterized by the lightness of the material used for the roof, a semitransparent type of plastic that wraps the rudimentary wooden structure and reminds us of the tangle of a forest, thanks to its system of steel reinforcements. The artificial ground is an undulated poured concrete surface: a solid base required for stability on the marshy land.
The construction is completely self-sufficient in terms of energy, so it coexists easily with the natural setting. The required energy is supplied by a water buffalo whose movements activate a dynamo located at one end of the pavilion: the energy thus produced is stored in batteries.
R&Sie(n)'s intervention strategy, perfectly in tune with the charm of The Land, aims at triggering, in a specific place, a mechanism of self-configuration capable of ab-

relación entre hombre y naturaleza; pero, al mismo tiempo, su presencia física hace que sea arquitectura, pensada como un sistema alternativo para la recogida de agua de lluvia con el objetivo de que "ninguna gota de agua caída sobre la tierra llegue al mar antes de que el hombre la utilice".
La situación de grave emergencia por falta de agua que se está produciendo en grandes partes del planeta, no deja entrever, en un breve período de tiempo, cambios sensibles en el escenario que permitan aumentar su disponibilidad. El proyecto Baku, pensado para los campos del sur de Italia, constituye una oportunidad para que arte y arquitectura establezcan un diálogo por medio de los instrumentos comunes, y vuelvan a proyectar un territorio semiartificial capaz de transformarse en un paisaje natural con el paso del tiempo.
Se trata de una estructura en forma de paraguas invertido, construida con materiales muy ligeros pero altamente resistentes: PVC, teflón y nilón. La membrana que envuelve dicho paraguas tiene un cámara rellena de helio entre el intradós y el extradós. Dependiendo de la situación, la estructura se extiende en el aire a una cota varia-

sorbing changes and making them an integral part of the existing landscape.
The growth of The Land is progressive: increase in density takes place in successive layers, similar to those represented by the host landscape.
Art, architecture and landscape enter a dialogue of collaboration that produces unpredictable, almost organic effects ranging between process, object, structure and interchange.[3]
In The Land it is important for art and architecture to contribute to trigger a process of social, economic and cultural development in a specific area. The objective is to emphasize, if possible, ecological principles while pursuing goals of a social character.
Like The Land, Baku is a project that will become an integral part of its host territory. Some of its intrinsic characteristics set it apart as an artwork capable of prompting reflection on the man/nature relationship, but at the same time its physical presence makes it architecture, conceived as an alternative system for the collection of rainwater: "Let no drop of water that falls to earth reach the sea without having first been used by man."

ble gracias al empuje que proporciona el gas. Esta instalación permite el transporte de agua a distintos puntos del territorio de un modo natural, sin ayuda de sistemas mecánicos: "en el aire, para no impedir el crecimiento natural de los cultivos, los árboles y la naturaleza en general, pero también por encima de los parques, los tejados de las casas y las fincas agrícolas".[4]
Este proyecto es una señal en el paisaje que no deja huellas y que mantiene una peculiar relación con el espacio y el tiempo. Cada ubicación sobre el territorio se convierte en un lugar en el momento en el que el paraguas se pone en funcionamiento: se hace reconocible y cobra la importancia de una fuente de energía.
Al mismo tiempo, Baku se proyecta continuamente hacia fuera, elevándose en el cielo y salpicando el agua por el territorio. "El punto de anclaje al terreno es casi invisible pero se dilata continuamente: se conecta a múltiples puntos reales (los cultivos que hay que regar), a otros paraguas que se elevan conectados en una línea o, si están lejos, formando una red regional de distribución de los recursos hídricos".[5]
Una obra de arte ambiental en la que se reflejan imágenes arquitectónicas precisas, desde las referencias a las estructuras hinchables tan de moda en la década de 1960, y muy utilizadas por la arquitectura contemporánea, hasta las más recientes formas envolventes de muchas arquitecturas virtuales, o la seriación paisajística de numerosas instalaciones de Christo & Jean-Claude. Una serie de citas o, mejor, como las define Pietro Valle, alusiones copresentes, que se enriquecen de una componente funcional

There is a grave water crisis in progress in many parts of the world today, with no signs of significant change in the scenario in the near future. Baku, conceived for the countryside in southern Italy, is an opportunity for art and architecture to dialogue through shared tools, redesigning a semi-artificial territory capable of transforming itself, over time, into a natural landscape. It is a structure with the form of an overturned umbrella, composed of very light but also very resistant materials: PVC, Teflon, nylon.
The membrane that wraps the umbrella has a helium-filled interval between its inner and outer surfaces. The entire structure floats in the air, at a height that varies according to needs; the system permits transport of water to different points in the territory in a totally natural way, without the need for mechanical devices. "In the air, to avoid impeding the natural growth of the crops, the trees and nature in general, but also above green parks, the roofs of houses or businesses."[4]
This project is a landmark that leaves no traces, establishing a particular relationship with space and time. Every position on the territory becomes a place, once the umbrella is put into operation: it is recognizable and takes on the importance of a source of energy. At the same time, Baku continuously projects out of itself, rising into the air and showering water over the territory. "The point of attachment to the ground is almost invisible, but it is continuously expanded: it is linked in multiple real points (the crops to be irrigated) to other umbrellas-springs connected in a line or, if distant,

y social muy importante.
La característica de obras como ésta es que reactivan el desarrollo del territorio entrando en una relación constante con él a lo largo del tiempo. Baku no se superpone al paisaje, sino que se convierte en paisaje; no escoge una única dimensión temporal: puede ubicarse durante un día o durante un año, puede socorrer una emergencia puntual de agua o puede formar parte de un plan de desarrollo factible para períodos futuros. "Esta temporalidad siempre posible, esta conjugación de proyecto y realidad sin poner límites claros es la verdadera fuerza del proyecto, que huye de las bolsas de la ideología para colocarse en un presente siempre abierto".[6]
Un magnífico ejemplo de intercambio entre arte y arquitectura capaz de generar espacio social puede encontrarse en la obra de Olafur Eliasson. En este caso, la acción no se aplica sobre un programa funcional o sobre la reproducción de sus formas genéricas, sino en el ámbito de un espacio de relación donde lo que conforma el centro de un sistema de reconocimiento no es la obra material, sino el espacio creado. Es muy importante reconocer que, en el arte de Eliasson, la verdadera obra y el mecanismo de participación que se crea entre el espectador y el objeto define un campo de fuerza; la mirada del espectador constituye y crea la pieza de una manera compleja.
Es decir, la idea de espacio, pero, sobre todo, el modo como nos orientamos y tratamos de conocernos en su interior. Es inevitable, pues, que la frontera con la arquitectura se debilite, al tiempo que se abre camino a la conciencia de que la arquitectu-

forming a regional network of distribution of hydro-resources."[5]
An environmental artwork that reflects precise architectural images, from references to the inflatable structures that were so fashionable in the 1960s and are often used in contemporary architecture to the more recent enveloping forms of many works of virtual architecture, or the serial landscape features of many installations by Christo & Jeanne-Claude. A series of citations or, as Pietro Valle defines them, allusions that enhance a very important functional and social component.
The characteristic of works like this one is the way they reactivate territorial development, establishing a constant, lasting relationship with the land. Baku is not superimposed on the landscape; it becomes landscape. It does not select a single temporal dimension: it can be located in a place for a day or a year, serving as an aid in an emergency water shortage, or acting as part of a long-term development plan. "This open temporal range, this combining of project and reality without setting clear limits is the true force of the project, which avoids the traps of ideology to operate in an always open present."[6]
One excellent example of art-architecture exchange capable of generating social space can be seen in the work of Olafur Eliasson, acting not so much on the functional program or generic reproduced forms as on a space of relations, in which the space created, rather than the material work, becomes the focus a system of recognition. In Eliasson's art it is very important to specify that the true work is the mechanism of par-

ra no es la envolvente, sino que ésta se adaptaría o resultaría de lo que ocurre en el exterior y en el interior. La idea de espacio sustituye y recompone toda diferencia que parece existir entre arte, arquitectura y paisaje, en su relación con el espacio: se ve al caminar por dentro. "Debido a su ideología revelada, el espacio es capaz de mostrarte que estás en él".[7] Lo que se produce es una inversión de papeles: el espectador pasa a ser el objeto, y el ambiente que lo circunda pasa a ser el sujeto. De este modo, la arquitectura ya no es estable, sino un elemento esencial de un proceso que ataca nuestra capacidad de desear e imaginar.

Green river establece una relación sensorial entre ciudad y paisaje. En la ciudad contemporánea los ríos se perciben como elementos estáticos. El hecho mismo de mutar su consistencia por medio de teñir el agua con un colorante natural, que no sea contaminante ni nocivo, significa poner de manifiesto su forma.

"El río se hace tan presente, que el movimiento y las turbulencias del agua se convierten en algo visual. Lo invisible se hace visible; por un momento, el río pasa a ser, por decirlo de alguna manera, tridimensional, un espacio que, en lugar de ser bidimensional, estático, se constituye en una experiencia de representación que es la que solemos tener en un centro urbano. De este modo, cuando el agua se tiñe artificialmente, pasa a ser más 'real' que cuando se encuentra en su estado normal".[8]

Mucha gente percibe el espacio urbano como una imagen, como un telón de fondo de nuestras acciones cotidianas sin una relación dinámica con nuestro cuerpo.

ticipation created between the visitor and the object, identifying the force field: in a complex way the gaze of the viewer constitutes and creates the piece. The idea of space involves, above all, how we orient ourselves and try to know ourselves (and each other) in that space. Thus it is inevitable that the borderline with architecture becomes blurry, while an awareness develops that architecture is not the enclosure; the enclosure adapts to, or is the result of, what happens inside and outside. The idea of space replaces and reorders every difference that seems to exist between art, architecture and landscape. We are in relation with space: we see it and walk inside it. "The space, thanks to its revealed ideology, has the capacity to show us that we are in it."[7] What happens is a reversal of roles, as the viewer becomes the object and the environment that surrounds him becomes the subject. In this way the architecture is not stable, but the essential element of a process that impacts our ability to desire and to imagine.

Green River is a project that creates a sensory relationship between city and landscape. In the contemporary city rivers are effectively perceived as static elements. If the water of a river is colored with a natural, non-polluting, non-toxic substance, the form of the river is revealed.

"The river becomes so present, the movement and turbulence in the water become visual. The invisible becomes visible—for a moment the river becomes, let's say, three-dimensional, a space, instead of the usual two-dimensional, static, representational experience we tend to have of a city center. So when the water is artificially colored it be-

OLAFUR ELIASSON,
The Weather Project (The Unilever Series),
Turbine Hall, Tate Modern, Londres, Reino Unido, 2003

OLAFUR ELIASSON,
The Weather Project (The Unilever Series),
Turbine Hall, Tate Modern, London, United Kingdom, 2003

En el proyecto *The very large curve* realizado en Canadá, Eliasson modifica la planta de la ciudad trazando con tiza un nuevo mapa directamente sobre la tierra. Pero los organizadores del evento han tergiversado la eficacia de su intervención al anunciarla, pues la reacción de los ciudadanos fue distinta a la improvisación de *Green river*: la obra se codificó de inmediato como arte y la interac-

comes more 'real' than in its normal state."[8]
Urban space is perceived by many people as an image, as something that forms a backdrop for our everyday actions, rather than something that can have a dynamic relationship with our bodies.
In the project *The Very Large Curve* (1997), done in Canada, Eliasson modified the plan of a city, drawing a new map directly on the

ción con la nueva planta de la ciudad se hizo ineficaz del todo. La percepción de lo que es arte y de lo que es arquitectura viene ligada a la experiencia. En cierto sentido, Olafur Eliasson busca en su obra la complicidad del público, su participación. Sin duda, intenta eliminar el concepto mismo de obra de arte y se aproxima a la construcción de espacios inmateriales de arquitectura, capaces de establecer unas relaciones compartidas con el lugar que rodea la obra.
Así pues, la acción sobre el paisaje siempre viene mediada y, a menudo, como en el proyecto para la Tate Modern de Londres, *The weather project*, es desestabilizador. En las obras de *land art* el paisaje se utiliza siempre como figura para crear un espacio; Eliasson intenta transformarlo sustancialmente.
Cuando figura y fondo se enfrentan dentro de un espacio museístico, la realidad y su representación pierden su significado original. En *The weather project*, el ocaso se recrea artificialmente dentro del museo londinense; la idea espaciotemporal de un fenómeno natural se convierte en un espectáculo que desmaterializa totalmente la arquitectura que lo rodea y la transforma en paisaje.
Lo que Eliasson intenta poner de manifiesto es la inseparable transición del fenómeno del espacio; el arte se integra en la sociedad.
Si arte y arquitectura han colonizado el paisaje, ¿por qué no permitir que la naturaleza deforme el límite, para redefinir el cuerpo mismo del espacio construido?
Si Eliasson actúa desde el interior, el museo de Bangkok de R&Sie(n) lo hace desde el exterior, para anular la presencia de un edificio o, mejor aún, para transformar el edificio en paisaje.

ground with chalk. The effectiveness of the project was limited because the organizers announced it, meaning that the reaction of the citizenry was different from the spontaneity of the reaction to *Green River*. The work was immediately categorized as art, and the interaction with the new plan of the city was totally ineffective. The perception of what is art and what is architecture is linked to experience.
In his work Eliasson, in a certain sense, seeks the complicity of the audience, its participation. In this way the artist evidently attempts to erase the very concept of the artwork, getting closer to the construction of immaterial architectural spaces capable of generating shared relations with the place that surrounds the work.
The action on the landscape is always a mediated one, and often, as in *The Weather Project* for Tate Modern in London, it has a destabilizing effect. In works of Land Art the landscape is always used as a figure to create a space. Eliasson attempts to transform it into a backdrop. When figure and backdrop face off inside a museum space, reality and its representation lose their original meaning. In *The Weather Project* in London, dusk is artificially created inside the museum. The space-time idea of a natural phenomenon becomes spectacle, completely dematerializing the architecture around it, transforming the architecture into landscape.
What Eliasson tries to bring out is the inseparable transition from phenomenon to space. Art becomes a part of society.
If art and architecture have colonized the landscape, why not allow nature to deform

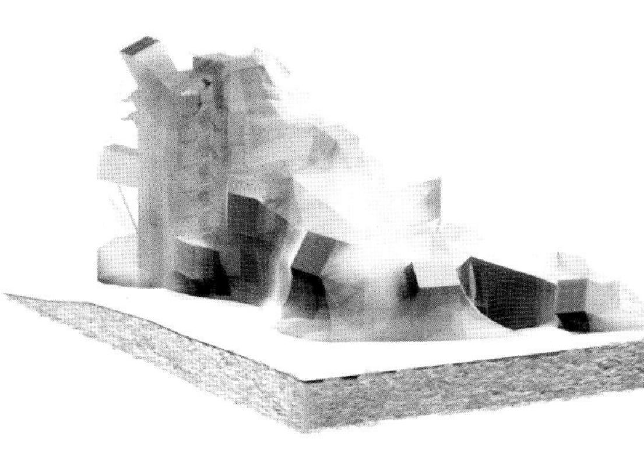

"Bangkok es una ciudad muy polvorienta, gris y luminosa. La nube de contaminación, residuo de CO_2, filtra y selecciona sólo las frecuencias de grises de los rayos del espectro solar. Más de cincuenta palabras distintas podrían describir las tonalidades y materialidades de tal ausencia de color: 'luminosa, vaporosa, atrayente, chocante, sombría, transpirante, mórbida, áspera, mugrienta, indistinta, confusa, sofocante, zafia, etc.'. El polvo viste a la ciudad y su ambiente vital hasta tal punto de que modifica su clima. En esta niebla de pequeñas partículas, Bangkok se convierte en el crisol de una actividad humana hipertrofiada que se caracteriza por cambios convulsivos de energía en los que el aspecto visual constituye el principal atractivo".[9]

El polvo cubre la ciudad, y es esa misma ciudad, su esencia, lo que modifica el clima, regula la percepción de sus espacios. François Roche captura esta esencia y la

the borders, to redefine the body itself of constructed space?

While Eliasson acts from within, R&Sie(n) acts from outside the museum in Bangkok, to cancel the presence of a building, or to transform the building into landscape.

"Bangkok is a very dusty, gray and luminous city. The pollution cloud, CO_2 residue, filters and standardizes the light with only gray spectral frequencies. Over fifty different words could be used to describe the tones and the touching aspects of the absence of color: 'luminous, vaporous, pheromonal, hideous, shaded, transpiring, cottony, rugged, dirty, hazy, suffocating, hairy...'. The dust dresses the city and her biotope, even going so far as to modify the climate. Within this fog of specks and particles, Bangkok becomes the melting pot of hypertrophic human activity with convulsing exchanges of energy, where visibility becomes its greatest charm."[9]

R&Sie(n), Dustyrelief (Museo de Arte Contemporáneo), Bangkok, Tailandia, 2002

R&Sie(n), Dustyrelief (Contemporary Art Museum), Bangkok, Thailand, 2002

superpone con su idea de espacio museístico. El museo se concibe como una serie de cajas blancas recubiertas de una membrana metálica que, por efecto de la energía electrostática, atrae el polvo que acabará recubriéndolo. De esta manera, se forma una fachada textil, un muro cortina que se autogenera y que sustituye la representación tradicional de la arquitectura por una membrana ecológica.
La referencia a la obra del *Criadero de polvo* de Marcel Duchamp y Man Ray no es casual; una foto del *Grand verre*, abandonado durante meses en un taller y sobre el que se deposita el polvo bajo el efecto de la electricidad estática, parece una foto aérea de la ciudad tailandesa y un diagrama de referencia para el R&Sie(n). Si Duchamp redefine el objeto de uso común importándolo a un contexto cultural, el del arte, la arquitectura quiere redefinir la caja blanca del espacio expositivo. El objeto cultural se exporta al contexto cotidiano. En el momento en que la caja pasa a ser objetivamente un polo de atracción del flujo de energía, queda de tal manera asimilada por la ciudad que ya no puede ser imaginada fuera de ella. La búsqueda del hiperlocalismo es un tema central de esta arquitectura.
"Con el fin de volver a poner en juego el lugar renegado, los arquitectos afrontan su realidad física inmediata al utilizar su material autóctono, que reemplaza e invoca una nueva especificidad local del territorio. Este trabajo sobre el territorio expande su definición tradicional más allá de las dimensiones del terreno, de la tierra y del emplazamiento, en favor de una polifonía material en todo su estado conglomerado; las mate-

Dust dresses the city, it is the city itself, its essence, changing its climate, regulating the perception of its spaces.
R&Sie(n) captures this essence and produces an overlay with their idea of museum space. The museum is conceived as a series of white boxes covered by a metal membrane that electrostatically attracts the dust and is thus coated with it. The result is a textile façade, a "curtain wall" that self-generates and replaces the traditional representation of architecture with an ecological membrane.
The reference to the work *Dust Breeding* by Marcel Duchamp and Man Ray is not coincidental. The photo of the *Large Glass* left for many months in a studio, coated with dust due to the effect of static electricity, looks like an aerial photograph of the Thai city, and becomes a diagram of reference for the R&Sie(n). While Duchamp redefines the common useful object, importing it into a cultural context, that of art, the architecture attempts to redefine the white box of the exhibition space. The cultural object is exported into the everyday context. Since the box objectively becomes a pole of attraction of a flow of energy, it is so fully assimilated by the city that it cannot be imagined elsewhere. The pursuit of hyper- localism is a central theme in this architecture.
"In order to bring the much denied place back into play they address its immediate physical reality by using its indigenous material. This replaces and invokes a new site specificity of the territory. This work on the territory expands its traditional definition beyond the dimensions of ground, earth

rialogías de una arquitectura hiperlocal que surge en lugar de las viejas tipologías".[10]
Existe, pues, un campo más allá de lo visible donde creación artística y ciencia se encuentran, y donde la arquitectura pasa a ser el espacio de relación entre cuerpo y objeto.
En el momento en que un mecanismo de intercambio físico entra en acción, el cuerpo se adapta o se ve inducido a un cambio de escena real, donde cambian los sistemas de referencia objetivos.
Si en el espacio de Olafur Eliasson este sistema de relación invade lo visible en la reproducción de lo real, en la acción de Roche se redescubre una geografía de los lugares.
En la arquitectura escondida de Décosterd & Rahm tiene lugar un intercambio desde el cual toma forma una nueva dimensión. "La arquitectura avanza pasando por cambios climáticos y temporales; genera un conjunto de pausas temporales locales, brechas geográficas, cambios astronómicos y contracciones temporales".[11]
Del enfrentamiento entre arquitectura y paisaje surge una secuencia de espacios híbridos que redefinen el límite de una disciplina y nos llevan a una reflexión sobre el papel mismo del arte y del paisaje en la sociedad contemporánea, y de la posibilidad de una identificación cultural que haga que las experiencias diferentes y únicas puedan confrontarse y asimilarse sobre la base de una comprensión de un lenguaje común, el del arte.

and site in favor of a material polyphony in all its aggregate conditions—the materiologies of a hyper-local architecture that emerges in place of the old typologies."[10]
There is also a field beyond the visible, where artistic creation and science meet, and where architecture becomes the space of relation between body and object.
When a mechanism of physical exchange comes into play, the body adapts to a change of scene, real or induced, in which the systems of objective reference are altered.
While in the space of Eliasson this system of relations invades the visible, in the reproduction of the real and the action of Roche a geography of places is rediscovered.
In the hidden architecture of Décosterd & Rahm a place of exchange happens, giving rise to a new dimension. "Architecture proceeds by way of climatic and temporal modification. It generates a whole of temporary local breaks, geographical breaches, astronomical shifts and temporal contractions."[11]
The encounter between architecture and landscape leads to a sequence of hybrid spaces that redefine the borderline of a discipline and prompt us to reflect on the role of art and landscape in contemporary society, to imagine a cultural identification that will make it possible to compare or assimilate different, unique experiences based on a comprehension, a shared language: that of art.

Jean-Gilles Décosterd & Philippe Rahm

Reverse Cinema, Centro Andaluz de Arte Contemporáneo, Sevilla, España, 2004

Reverse Cinema, Centro Andaluz de Arte Contemporáneo, Seville, Spain, 2004

"*Reverse* es un proyecto que trata con una inversión especializada: perder información en lugar de recibirla. Su objetivo es la creación de espacios donde se pierdan datos, donde se reduzca información, invirtiendo el sistema actual donde los datos se distribuyen mediante proyecciones electromagnéticas en el cine, en la televisión y en los anuncios públicos. En cada caso, el objetivo no es recibir información sino perderla; cambiar nuestro estado como receptores al de transmisores de información. Estimamos que la cantidad de información que recibimos de nuestro entorno a través de los sentidos es de 10^9 bits.
Reverse es un proyecto arquitectónico y urbano que se propone la producción de información negativa y un entorno de información negativa, al menos de 10^{-9}.
El campo de acción es el mismo: el espacio electromagnético, aunque ahora se invierte la dirección. Nuestros cuerpos cambian de su condición de receptores al de transmisores. El haz de luz infrarroja que se lanza

"*Reverse* is a project dealing with a specialist inversion: losing information instead of receiving it. Its objective is to create spaces where data is lost, where information diminishes, inverting the present-day system where data is distributed through electromagnetic projections in the cinema, on television and in public announcements. In each case, the objective is not to receive information but to lose it, changing our state as receivers of information into that of its transmitters. We estimate the amount of information we receive from our environment through our senses as being 10 bits to the power of 9.
Reverse is an architectural and urban project that aims to produce negative information and a negative information environment—at least 10 raised to the power of -9. The field of action is the same: electromagnetic space, but the direction is reversed. Our bodies change from being receivers to being transmitters. The infrared beam directed to the cinema screen becomes cold

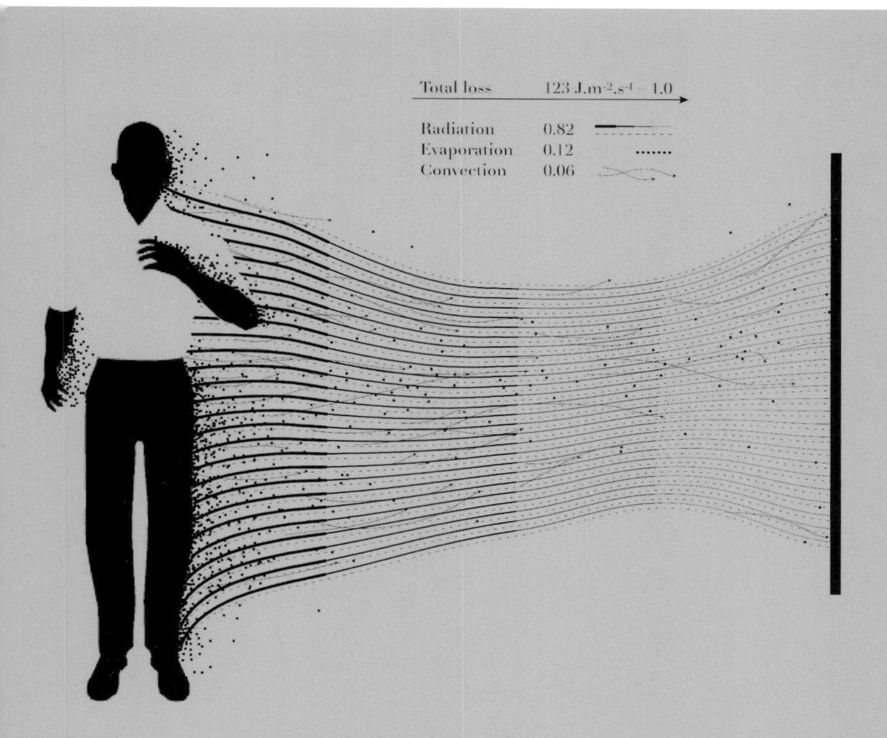

las diversas habitaciones no toman forma en tres dimensiones, sino en las varias longitudes de onda a partir de una visible. Al ocupar simultáneamente la misma superficie y entremezclar su masa y volumetría, cada parte del programa (dormitorio, sala de estar, baño) se propaga en una fracción concreta del espectro electromagnético. El dormitorio aparece entre los 400 y 500 nanometros, la sala de estar entre los 600 y 800 nanometros y el baño, situado en el espectro ultravioleta, entre los 350 y 400 nanometros".[12]

bathroom) extends into a specific fraction of the electromagnetic spectrum. The bedroom appears between 400 and 500 nanometers, the living room between 600 and 800 nanometers. The bathroom is located in the ultraviolet, between 350 and 400 nanometers."[12]

[1] Garaicoa, Carlos, *Capablanca's Real Passion* [catálogo de la exposición homónima], MoCA/Gli Ori, Los Ángeles/Prato, 2005.
[2] Romano, Gianni, "Andreas Gursky: reale e sublime", en *Flash Art*, 226, febrero-marzo de 2000.
[3] Obrist, Hans Ulrich, en Ferrari, Federico, *Lo spazio critico*, Luca Sossella Editore, Roma, 2004, pág. 93.
[4] Vele, Giuseppe, "42'8 - Baku", en *Artland*, 14 de agosto de 2003 (en http://architettura.supereva.com).
[5] Valle, Pietro, "L'acqua è più leggera del cielo", en *Artland*, 14 de agosto de 2003 (en http://architettura.supereva.com).
[6] Ibíd.
[7] Eliasson, Olafur, en Boutoux, Thomas (ed.), *Hans Ulrich Obrist. Interviews*, Charta, Milán, 2003, pág. 206.
[8] Ibíd., págs. 195-196.
[9] Costanzo, Matteo, "Bangkok Experience. R&Sie(n)... Growing-up Interview", en *Files*, 18 de febrero de 2003 (en http://architettura.supereva.com).
[10] Ruby, Andreas, en Ruby, Andreas; Durandin, Benoît (eds.), *R&Sie(n)... Architects. Spoiled Climate*, Birkhäuser Verlag, Basilea/Boston, 2004.
[11] *Décosterd & Rahm, Distortions: Architecture 2000-2005*, HYX Éditions, Orleáns, 2005.
[12] Ibíd.

[1] Garaicoa, Carlos, *Capablanca's Real Passion* [exhibition catalogue], MoCA/Gli Ori, Los Angeles/Prato, 2005.
[2] Romano, Gianni, "Andreas Gursky: reale e sublime", in *Flash Art*, 226, February-March 2000.
[3] Obrist, Hans Ulrich, in Ferrari, Federico, *Lo spazio critico*, Luca Sossella Editore, Rome, 2004, p. 93.
[4] Vele, Giuseppe, "42'8 - Baku", in *Artland*, 14 August 2003 (in http://architettura.supereva.com).
[5] Valle, Pietro, "L'acqua è più leggera del cielo", in *Artland*, 14 August 2003 (in http://architettura.supereva.com).
[6] *Ibid.*
[7] Eliasson, Olafur, in Boutoux, Thomas (ed.), *Hans Ulrich Obrist. Interviews*, Charta, Milan, 2003, p. 206.
[8] *Ibid.*, pp. 195-196.
[9] Costanzo, Matteo, "Bangkok Experience. R&Sie(n)... Growing-up Interview", in *Files*, 18 February 2003 (in http://architettura.supereva.com).
[10] Ruby, Andreas, in Ruby, Andreas; Durandin, Benoît (eds.), *R&Sie(n)... Architects. Spoiled Climate*, Birkhäuser Verlag, Basel/Boston, 2004.
[11] *Décosterd & Rahm. Distortions: Architecture 2000-2005*, HYX Éditions, Orléans, 2005.
[12] *Ibid.*

Créditos fotográficos
Photo credits

- p. 10: Courtesy Gianni Pettena
- pp. 34, 36, 37: Gordon Matta-Clark, © Vegap
- p. 38: © Jannes Linders
- pp. 43, 45, 48-56: © Décosterd & Rahm, associés
- p. 46: © Shoei Yoh
- p. 47: © Artangel
- pp. 62, 63: Nancy Holt
- pp. 68, 69: © Christian Wachter
- p. 70: © Gerald Zugmann
- p. 71: © tnE
- p. 72: Robert Smithson
- pp. 74, 76, 91, portada/cover: © Jussi Tiainen
- p. 75: © Heikki Leikola
- p. 79: John Cliett © Dia Center for the Arts
- p. 83: © Makoto Sei Watanabe
- p. 86, 87: © Nox
- p. 90: © Tobias Lehn
- p. 92: © Sami Rintala
- p. 95: © Martha Schwartz, Inc.
- p. 99: © Wolfgang Volz
- p. 104: Courtesy Stalker
- pp. 112-114: Courtesy Antonella Mari
- pp. 120, 121: Richard Serra, © Vegap
- pp. 130, 132-135: © Mary Miss
- p. 137: © Katsuaki Furudate
- pp. 139, 141: © Christian Richters
- p. 143: © Nacása & Partners
- pp. 145,146: © Sally Schoolmaster
- p. 150: © Beat Widmer, © Diller+Scofidio
- p. 158: © Esto Graphics
- p. 159: © Masanobu Moriyama
- p. 166: © Satoru Mishima
- pp. 172, 173: © Toshiharu Kitajima
- pp. 176, 177: © Jeroen Musch
- p. 192: © Courtesy Galleria Continua, San Gimignano/Beijing
- pp. 194, 203: © R&Sie(n)
- p. 201: © Olafur Eliasson/photography by Jens Ziehe
- pp. 206, 207, 209: Philippe Rahm

Agradecimientos En primer lugar, agradecer a Daniela Colafranceschi y Mónica Gili el permitir que este libro llegue a buen puerto. Un agradecimiento en particular a Moisés Puente por su infinita paciencia en la recogida de los *datos que faltaban*.

Parte de este trabajo es fruto de la disponibilidad de muchos de los proyectistas presentados en este libro, personas que me han facilitado el material y me han ofrecido su atenta colaboración, en particular Marco Casagrande, Philip Rahm, Makoto sei Watanabe, Ernst J. Fuchs y Marie Therese Harnoncourt, Stalker y Antonella Mari.

A Gianni Pettena por sus preciados consejos y a Luigi Pellegrin por las palabras e ideas que nos ha dejado.

Un agradecimiento a Carmelo y Stefania del estudio IAN+ por haber compartido conmigo algunas de las ideas que aparecen entre las líneas de este libro.

Acknowledgements To begin with I must thank Daniela Colafranceschi and Mónica Gili for assuring that this book came safe into port. A special thanks must go to Moisés Puente for his infinite pains in collecting *the data that were lacking*.

A goodly part of this work is due to the accessibility of many of the designers present herein, people who've provided me with material and kindly offered me their collaboration, in particular Marco Casagrande, Philip Rahm, Makoto sei Watanabe, Ernst J. Fuchs and Marie Therese Harnoncourt, Stalker and Antonella Mari.

To Gianni Pettena for his valuable advice and to Luigi Pellegrin for the words and ideas he has bequeathed us.

A big thanks to Carmelo and Stefania of the IAN+ studio for having shared with me some of the ideas that appear between the lines of this book.